1 MONTH OF
FREE
READING

at

www.ForgottenBooks.com

By purchasing this book you are eligible for one month membership to ForgottenBooks.com, giving you unlimited access to our entire collection of over 700,000 titles via our web site and mobile apps.

To claim your free month visit:

www.forgottenbooks.com/free400734

ISBN 978-0-267-28138-1
PIBN 10400734

For support please visit www.forgottenbooks.com

FACULTÉ DE MÉDECINE DE PARIS.

CONCOURS

POUR UNE CHAIRE

DE CLINIQUE CHIRURGICALE.

DES VARICES,

DE LEUR TRAITEMENT.

JUGES.

MM.

CLOQUET , *Président.*
BLANDIN.
BOUILLAUD.
BRESCHET.
GERDY.
MARJOLIN.
PIORRY.
VELPEAU.

MM.

GIMELLE, *Secrétaire.*
JOBERT DE LAMBALLE.
REVEILLÉ PARISE.
VILLENEUVE.

COMPÉTITEURS.

MM.

BÉRARD.
BOYER.
CHASSAIGNAC.
CHRESTIEN.
HUGUIER.

MM.

MALGAIGNE.
ROBERT.
THIERRY.
VIDAL (*de Cassis*).

CONCOURS

POUR UNE CHAIRE

DE CLINIQUE CHIRURGICALE.

— ◆ —

DES VARICES,

DE LEUR TRAITEMENT.

THÈSE

SOUTENUE DEVANT LES JUGES DU CONCOURS,
LE   JUIN 1842.

Par S. LAUGIER,

Chirurgien de l'hôpital Beaujon , Chirurgien consultant du Roi , Agrégé libre de
la Faculté de médecine, Chevalier de la Légion-d'Honneur.

— ◆ —

PARIS,

IMPRIMERIE DE GUIRAUDET ET JOUAUST,

RUE SAINT-HONORÉ, 315.

1842

CONCOURS

DE

CLINIQUE EXTERNE.

DES VARICES,

DE LEUR TRAITEMENT.

—

On appelle varice la dilatation morbide et permanente des veines, quel que soit le calibre primitif et normal du vaisseau affecté. Peùt-être devrait-on ajouter, dans la définition, *par le sang veineux* : ce serait éloigner d'un seul mot cette dilatation d'une veine produite par le passage accidentel, mais aussi permanent, du sang artériel échappé d'une artère voisine, et à laquelle on a donné le nom de varice anévrismale. Il y a en èffet tant de différence dans l'étiologie, les suites et le traitement des varices proprement dites, et de cette varice particulière, qu'il ne reste entre elles que bien peu d'analogie. Celle-ci n'est fondée que sur les changements qui surviennent dans le calibre du vaisseau et dans l'organisation de ses parois. Ils sont encore loin d'être identiques dans les deux cas.

Toutefois, l'altération des parois des veines est un élément indispensable dans l'existence d'une varice, car une distension prolongée peut avoir lieu sans qu'il y ait va-

1

rice. On a cité à tort comme varice, ou d'une manière trop absolue, la distension des veines qu'on trouve à la surface des tumeurs qui gênent la circulation profonde, et forcent le sang à refluer dans les veines superficielles pour former une circulation veineuse supplémentaire. Dans ce cas, il arrive que, si la tumeur vient à disparaître, ou même à diminuer, la circulation dans les veines profondes reprenant ses droits, les veines superficielles reçoivent moins de sang, et reviennent souvent à leur calibre. Toutes ne restent pas variqueuses; elles n'avaient été que distendues sans altération permanente de leurs parois. On observe souvent ce phénomène à la suite des grossesses (membres inférieurs, vagin, hémorroïdes). Je l'ai vu d'une manière évidente dans un cas d'anévrisme du tronc brachio-céphalique et de la sous-clavière, que j'ai traité suivant la méthode de Brasdor; un réseau de veines susclaviculaires et intercostales suppléait à la circulation profonde du sommet du thorax et du col. Après la ligature de l'axillaire au dessous de la clavicule, la tumeur diminua, et en même temps disparut la distension des veines superficielles.

Lorsque, dans les articles de dictionnaire, ou les traités dogmatiques de chirurgie, on traite des varices, on se borne en général à celles des membres inférieurs, tout en indiquant cependant l'existence de quelques dilatations variqueuses des veines splanchniques. Le varicocèle, les hémorroïdes, etc., forment l'objet d'articles séparés, et cela se conçoit, puisque dans les traités complets chacune de ces portions de l'histoire générale des varices doit trouver sa place et son histoire particulière. Mais dans une thèse de concours dont le titre est ainsi formulé : *Des varices, de leur traitement*, dois-je me borner à parler de celles des membres inférieurs ? Cela ne me paraîtrait ni prudent ni convenable. Le jury aurait au moins indiqué par l'énoncé les varices des membres. Me voilà donc forcé de toucher à l'histoire des hémorroïdes, des tumeurs sanguines, etc., avec la condition toutefois de ne pas sortir du sujet des varices. Une des difficultés de mon sujet est donc de limiter aussi exactement que possible son étendue, afin de n'en pas sortir et de traiter de tout ce qu'il comporte. Il me paraît comprendre comme généralités l'histoire des varices et de leurs accidents indépendamment de leur siège particulier, les moyens de traitements généraux qui leur conviennent, et comme particularités l'étude des hémorroïdes, des varices de l'urètre et de la vessie, de la prostate, du vagin, de la vulve, du cordon et du testicule, des membres, et particulièrement des membres inférieurs, enfin des tumeurs variqueuses purement veineuses.

Des varices en général.

Ainsi que je viens de le dire, les veines des membres ne sont pas les seules qui puissent éprouver cette dilatation contre nature et permanente qui constitue les varices. Elles sont, il est vrai, beaucoup plus fréquentes aux membres inférieurs que partout ailleurs, celle des membres supérieurs même sont rares; mais les gros troncs veineux, ceux qui avoisinent le cœur, en sont aussi le siége. Morgagni a vu les jugulaires très dilatées chez quelques sujets, et offrir des pulsations qu'il attribue à cet état variqueux. M. Cline a vu la veine jugulaire interne former un sac, qui offrait à sa partie postérieure un sillon pour loger l'artère carotide. Cette tumeur était pulsative, et sa rupture causa la mort de la malade. M. Portal, dans son cours d'anatomie médicale, cite l'exemple d'une sous-clavière dilatée qui se rompit dans la poitrine. La veine azygos fut trouvée par Morgagni assez dilatée pour égaler la grosseur de la veine cave; sa rupture avait causé la mort d'une femme phthisique, etc.

.Les veines de la tête ne font pas même exception.
M. Alibert a observé un exemple de varices du cuir chevelu (thèse de M. Huguier). On en voit au front, aux tempes, à l'angle interne de l'œil (Amussat). Les veines de la
conjonctive, de la choroïde, du nez, de la langue, en peuvent être affectées; mais ce sont en général les veines de
la moitié inférieure du corps qui en offrent les exemples
les plus fréquents. Rien n'est plus commun que les varices
du pied, de la jambe surtout, de la cuisse, |de l'anus, du
cordon testiculaire, de la vulve, de la région hypogastrique superficielle chez la femme. On peut donc chercher à la production des varices des causes dont l'influence ne soit point bornée à une localité, des causes générales, qui pourront sans doute chez tel individu s'exercer sur un siège particulier, mais conserver toutefois une
action qui ne se localise pas; puis nous nous occupe-
rons des caractères communs des varices, de ce qu'il y a
de général dans leur marche, leurs accidents, leur anatomie, et nous chercherons ensuite dans leur oblitération
spontanée les éléments de leur traitement curatif. Quant
aux procédés opératoires en particulier, bien qu'ils ne
soient pas toujours seulement appropriés au siège des
varices, nous en apprécierons la valeur surtout en traitant des varices des membres inférieurs, parce que c'est
en ce point de l'arbre veineux qu'ils sont le plus souvent
appliqués, et qu'il sera facile d'en mesurer l'extension
aux varices des autres régions.

Causes générales des varices.

La distension des veines par l'afflux ou la stase du sang
veineux est certainement le phénomène physiologique le
plus général qui préside à la formation des varices.
Comme, dans l'état normal., la quantité du sang veineux qui chemine dans une veine est proportionnée à la

capacité et à la résistance de ses parois, il faut bien alors ou que la quantité du sang dans un temps donné y soit exorbitante, ou que la faiblesse du vaisseau, son altération par des causes diverses, diminue son élasticité, le rende inextensible sans dilatation morbide.

Je, me garderai bien de me jeter dans des hypothèses pour rechercher les causes des varices; je crois qu'on peut les rencontrer d'une manière générale :

1°, Dans les veines elles-mêmes,

2° Dans le fluide qui les parcourt,

3° Dans les parties qui les environnent.

Causes des varices tirées des veines.

1° *Structure.* — L'organisation des veines paraît les pré-disposer aux varices par l'absence de fibres circulaires. Elles n'éprouvent pas, il est vrai, de la part du sang, de chocs comme les artères; mais, distendues dans certaines circonstances par ce fluide, elles ne sont pas assez fortes pour ne pas céder à un certain degré de pression latérale excentrique. Leur structure y remédie de deux manières : 1° Elles sont pourvues de valvules pour diviser la colonne de sang; ces valvules sont en général en plus grand nombre dans les parties où la circulation veineuse a plus d'obstacles à surmonter. 2° L'épaisseur des parois veineuses n'est pas la même partout, et la plus grande épaisseur appartient presque toujours aux parties où s'accroît la difficulté de la circulation.

2° *Maladies.* — J'indiquerai les maladies en faisant l'anatomie pathologique des varices. Est-il difficile d'admettre que les lésions de nutrition des parois veineuses d'où résultent leur amincissement, l'altération de leurs parois ou de leurs valvules, puissent influer sur la formation des varices? Leur épaississement même, très diffèrent de leur plus grande épaisseur anatomique, peut coïncider avec une moindre résistance.

Quant'à l'influence des lésions physiques pour produire des varices, elle est prouvée par les faits.

M. Velpeau a rapporté le fait suivant : Un portefaix avait reçu un violent coup de bâton sur la partie inférieure du tibia. Les résolutifs et la compression firent disparaître l'épanchement de sang ; mais la veine saphène, d'abord cachée dans ce foyer, resta molle et du volume du pouce dans l'étendue de deux travers de doigt, quoiqu'elle n'offrît rien de particulier avant l'accident (thèse sur la *Contusion*, p. 13, 1833). Hodgson avance que quelquefois les valvules d'une veine peuvent se rompre dans un effort musculaire violent ; mais c'est là une faiblesse relative à la grandeur de l'effort, qui ne prouve pas nécessairement une débilité native ou acquise du tissu de la veine.

Quant à une faiblesse des veines particulière, contre nature, il veut qu'on l'admette chez les personnes qui, sans autre cause appréciable, ont des varices dans diverses parties du corps à la fois. M. Alibert cite un homme chez lequel *toutes les veines* furent trouvées dilatées à l'autopsie (thèse de Mabille). C'est là toutefois sans doute une cause rare et exceptionnelle ; et il n'est pas prouvé que dans ces cas il n'y ait maladie des veines dans différents points du système nerveux.

M. Bégin reproduit l'opinion de la formation des varices par le fait d'une irritation du système veineux. Cette irritation doit-elle se confondre avec l'excitation sanguine des capillaires d'où proviennent les veines affectées ? Représente-t-elle quelque lésion visible des parois veineuses ? Le peu de mots qu'il a consacrés à cette question sont trop vagues pour que je puisse en rien conclure (*Ditionnaire de médecine* en 15 volumes). Sans doute on peut attribuer une partie de l'altération des parois des veines variqueuses à l'inflammation qui plusieurs fois s'en empara; mais rien n'établit que cette inflammation soit antérieure au début des à ces, dans leur siége même. L'inflammation des veines agit cependant en obstruant leur cavité, comme cause prédisposante.

L'âge, le sexe, l'hérédité, le tempérament, sont des circonstances qui portent ou sur la structure primitive des veines ou sur leur altération par les maladies; et quoique leur effet ne soit pas déterminé rigoureusement, et n'établisse qu'une prédisposition aux varices sans indication positive de la cause prochaine, c'est ici le moment d'en parler.

Il y a quelques différences dans les opinions relatives à l'influence de l'*âge*. Rares chez les jeunes sujets, les varices paraissent aux uns favorisées par l'âge adulte (Bégin), aux autres par la vieillesse, à cause de l'affaiblissement que subissent alors les parois des veines : aussi, disent ces derniers, cette maladie est-elle bien plus fréquente pendant la vieillesse qu'à toute autre époque de la vie. C'est une question plus difficile à juger qu'on ne le croirait au premier coup d'œil. En effet, les varices n'étant pas en général une maladie très grave et qui abrége la vie, on doit trouver parmi les vieillards affectés de cette maladie tous ceux qui les doivent aux progrès de l'âge, plus ceux qui les avaient vues, se former pendant l'âge adulte. Elles doivent donc être plus fréquentes chez les vieillards, sans qu'on puisse décider par cette seule considération si elles se forment plus ordinairement pendant la vieillesse. C'est là une question de statistique qu'il serait facile de juger en quelques années dans les hospices consacrés à la vieillesse. Certaines espèces, les hémorroïdes par exemple, sont certainement plus fréquentes pendant l'âge adulte, de 30 à 50 ans, époque de la vie où une foule de causes se reunissent pour en favoriser le développement.

Le *sexe* paraît aussi exercer une influence. Les femmes, à cause de l'écoulement sanguin périodique auquel elles sont soumises, sont en général moins sujettes aux varices, bien qu'elles en doivent souvent l'origine à des causes qui n'appartiennent qu'à elles. Le veuvage, l'âge critique, les expose aussi à des phlébectasies métastatiques, etc.

L'*hérédité* peut être admise aussi bien pour les varices que pour toute autre disposition congénitale, et se prouve par des faits analogues. (Voy. *Varicocèle*.)

Le *tempérament lymphatique et sanguin* paraît à M. Briquet favoriser les varices. M. Begin est d'un avis tout opposé, et s'appuie sur l'expérience qu'il a acquise dans l'examen des varices des militaires. Il affirme que le tempérament lymphatique et une constitution molle, loin de disposer aux varices, sont souvent au contraire accompagnées d'étroitesse et d'atrophie des veines. Il n'en est pas de même du tempérament *bilieux*. Il est, dit-il d'observation que les veines des parties inférieures du corps sont souvent volumineuses chez les sujets auxquels on reconnaît le tempérament bilieux. La plupart des auteurs anciens et modernes appellent l'attention sur le tempérament mélancolique.

Causes des Varices recherchées dans le sang veineux.

Ce fluide, pour leur production, doit être examiné dans sa nature et dans son mouvement. Sa *nature* est évidemment variable, et personne aujourd'hui ne doute que le sang puisse être *malade;* mais on ignore complétement comment son altération pourrait influer sur l'état des veines pour en .... nue la résistance. Galien, A. Paré, etc., appelaient mélancolique le sang même dont les varices sont remplies, désignation tout à fait insignifiante dans l'état actuel de la science. On conçoit mieux comment sa tendance plus grande à se coaguler chez certains individus peut produire le rétrécissement

et même l'oblitération d'un tronc veineux, et, par suite,
les prédisposer à la dilatation de veines secondaires qui
devront recevoir plus de sang. Mais c'est là alors un obstacle mécanique., qui rentre dans l'étude du mouvement
du sang pour la production des varices.

Le *mouvement* de ce fluide peut en effet varier dans le
même point du système veineux, et, sans nous jeter dans
des considérations physiologiques qui ne sont que très
secondaires dans notre sujet, car nous avons à faire une
thèse de pathologie, on ne peut se refuser à croire que
des modifications dans le mouvement du sang ne soient
souvent très influentes sur la production des varices. L'effet des obstacles mécaniques qui gênent la circulation est
trop généralement admis pour pouvoir être contesté dans
tous les cas.

La compression des gros troncs veineux de l'abdomen
par des tumeurs diverses, la matrice dans la grossesse,
a été admise par tous. En effet, les varices des membres
inférieurs, du vagin, des grandes lèvres, sont communes
sinon à une première grossesse, au moins après des grossesses répétées. Ces compressions sont causes aussi des
accidents graves que les varices traînent après elles.

M. Cloquet a vu à l'hôpital Saint-Louis, en 1821, une
femme qui portait dans le ventre une tumeur volumineuse
située au devant de la colonne vertébrale, et qui exerçait
une forte compression sur la veine cave inférieure. Chez
cette femme, les veines superficielles des membres abdo-
minaux, du ventre, des fesses et de la vulve, formaient des
tumeurs violacées, dont plusieurs étaient plus grosses
que le poing. Les jarretières trop serrées dont on environ-
ronne les jambes peuvent aussi déterminer des varices.

Il en est de même de l'oblitération d'un tronc veineux ;
la partie de ce tronc et les branches situées au dessous
de l'oblitération se resserrent, et leur cavité finit par disparaître. Ces vaisseaux se changent en cordons fibreux.

Dans d'autres cas, au contraire, ces veines deviennent variqueuses. M. Cloquet a vu à Saint-Louis un homme de 40 ans qui portait une tumeur variqueuse du volume d'une grosse noisette sur la veine dorsale du pouce ; les veines de la région radiale de l'avant-bras avaient été coupées par un coup de sabre, et étaient oblitérées au niveau de la cicatrice de la plaie. On sent d'avance le parti qu'on peut tirer de ces variétés pour et contre les opérations qui tendent à l'oblitération des troncs variqueux au dessus des varices.

Il n'y a que S. Cooper, Delpech, qui paraissent ne pas attacher une aussi grande importance aux obstacles mécaniques les moins contestés. Suivant eux, on ne doit pas perdre de vue, par exemple, 1° que l'usage des jarretières est extrêmement commun, eu égard à la fréquence des varices ; 2° que les varices surviennent quelquefois au commencement de la grossesse, et bien avant que le développement de l'utérus puisse gêner le retour du sang dans les veines iliaques, etc., etc. Ils admettent qu'une cause générale encore inconnue détermine la formation des varices.

Le ralentissement ou la stase du sang veineux dans les veines peuvent tenir à d'autres causes.

Les professions dans lesquelles la station debout est prolongée, habituelle, sont indiquées par tous les chirurgiens comme produisant des varices aux membres inférieurs; les imprimeurs, les forgerons, les blanchisseuses, les ouvriers des ports, les cuisiniers, etc., etc., y sont en effet fort sujets. Dans la position indiquée, le sang est forcé de suivre un mouvement ascensionnel, et les valvules des veines saphènes sont constamment chargées de soutenir une colonne de sang dont le poids peut être accru par diverses circonstances.

La plupart des personnes qui gardent cette position verticale exercent d'ailleurs des métiers fatigants, font des

efforts musculaires considérables et répétés, qui rendent
la respiration moins régulière. Pendant la suspension ou
le retard des inspirations, le sang veineux est retenu dans
les veines plus long-temps, et la réplétion de ces vaisseaux augmente. Aussi les efforts musculaires ont-ils été
considérés par Hogdson comme causes de varices. On sait
leur influence dans le développement d'autres maladies
et par le même mécanisme, par exemple les orchites ai-
guës : on conçoit donc leur action, notamment pour les varices des membres inférieurs et du cordon spermatique.

- Mais sans que le sang soit nécessairement ralenti
dans sa marche autrement que par la distension prolongée de veines encore saines, ne peut-on pas reconnaître que le passage de ce fluide dans ces vaisseaux,
dans une proportion plus grande pour un temps donné,
sous l'influence d'une congestion physiologique mais
fréquente d'un organe, puisse causer des varices? C'est
ainsi que les veines testiculaires trop souvent gorgées de
sang à la suite d'excitations répétées de l'organe seront
le siège d'un varicocèle. C'est ainsi qu'une congestion
morbide constante de la vessie, de la prostate, sera
suivie de varices de ces parties.

· Une fois les varices produites, la marche du sang sera
sûrement ralentie; mais on conçoit parfaitement que, toute
autre circonstance mise à part, la congestion active d'un
organe ne suppose pas nécessairement le ralentissement
du cours du sang dans les veines qui en partent. Si leur
distension est évidente, elle tient à la plus grande quantité du sang qu'elles reçoivent dans un temps donné.

Ainsi ce n'est pas nécessairement le ralentissement du
mouvement du sang veineux qui produira les varices. Sa
plus grande quantité dans ses vaisseaux, sans diminution
de son mouvement, peut causer la distension forcée, et
par suite la dilatation morbide.

· Faut-il avec M. Bégin admettre ici l'intervention

d'un surcroît d'action du système capillaire qui pous-
serait le sang dans les veines avec une force exagérée, ou, avec M. Pigeaux, faire l'hypothèse d'une
perméabilité plus grande de ces petits vaisseaux ; qui
permet au sang des artères de passer avec plus de vi-
tesse, ce qu'il regarde comme appuyé par la rutilation
du sang de quelques varices, mais comme devant être
ultérieurement et plus sûrement démontré par des injections expérimentales ? Ces hypothèses doivent attendre
l'épreuve du temps ; mais le fait reste, l'état de congestion sanguine habituel d'un organe ou d'un membre pa-
raîtra à tous pouvoir influer sur le développement variqueux des veines qui en rapportent le sang.

L'opinion de M. Andral sur la cause de cette maladie est ainsi formulée : « Parmi les phlébectasies, il
en est qui sont liées d'une manière évidente à un accroissement d'activité du travail nutritif ; d'autres dé-
pendent au contraire d'une diminution dans l'activité de ce travail, et il en est enfin qui sont le résultat
tout mécanique d'une pression exercée sur un tronc veineux ; mais, dans ce cas encore, l'acte nutritif est modifié : car, par suite d'un obstacle mécanique apporté à la
circulation veineuse, on ne voit pas seulement les veines
se dilater et s'allonger, mais leurs parois s'hypertrophient
souvent d'une manière notable. »

Les auteurs anciens qui avaient entrevu quelques unes
de ces différences se bornaient à considérer comme *acti-
ves* les varices qui venaient d'un accroissement du travail nutritif, et appelaient *passives* celles qui résultaient
d'un obstacle mécanique au cours du sang.

3° Influence des parties voisines sur la production des varices.

Je viens de dire que le voisinage d'un organe habituellement congestionné pouvait causer les varices des veines

qui en partent. Une tumeur qui gêne la circulation dans les veines profondes d'une région peut produire la distension habituelle des veines superficielles. Elle la cause encore lorsque dans ses progrès elle arrive à soulever les parties sous-cutanées et les téguments eux-mêmes. Les veines superficielles n'ont plus la liberté nécessaire à leur circulation, le sang y marche plus lentement, et l'oblitération des veines peut survenir au moins temporairement. La méthode du professeur Sanson pour la guérison des varices est fondée sur une considération analogue.

Mais, dans l'état normal, les parties qui environnent les veines ont une influence notable sur la circulation du sang. Je n'ai point à m'occuper des causes générales de l'accélération du mouvement du sang dans ces canaux. Mais je puis répéter, avec tous les pathologistes, que les veines moyennes et petites qui sont soutenues par des muscles puissants, souvent contractés, et par des aponévroses résistantes, sont moins sujettes aux varices que les veines superficielles. La peau elle-même s'opposera d'autant plus à la formation des varices, qu'elle sera plus ferme et plus résistante. C'est par l'affaiblissement de son tissu peut-être que les varices sont plus fréquentes chez les vieillards dans les veines superficielles. On les voit fréquemment aussi chez des adultes dans des parties dont la peau a été distendue fortement, à la région hypogastrique par des grossesses répétées, au scrotum par diverses tumeurs des bourses.

Aussi, suivant la remarque de M. Cruveilhier, les gros troncs veineux, qui ne sont pas soutenus de la même manière, sont-ils plus exposés à se rompre pendant les efforts violents où la respiration est interrompue? Un paysan, dans de violents efforts pour retenir un taureau, se fit une rupture de la veine cave inférieure.

Anatomie pathologique des varices.

Elle est dominée par l'anatomie pathologique des veines, puisque les altérations des parois veineuses qui dimi-
nuent leur résistance peuvent conduire à la rupture
de ces vaisseaux, mais souvent aussi à leur dilatation
préalable. Nous emprunterons à M. le professeur Andral
la plus grande partie des faits que nous allons relater.

La membrane interne des veines est sujette au ramollissement, et devient alors très friable. Cette membrane
est encore susceptible d'acquérir une épaisseur considérable; elle peut être uniforme ou n'exister que dans quelques points, et alors la surface interne du vaisseau présente un aspect inégal et rugueux.

Le ramollissement comme l'épaississement de la membrane interne des veines peut exister avec la paleur de
son tronc ou avec diverses nuances de coloration.

Les valvules formées par un repli de la membrane interne des veines offre les mêmes altérations ; on les trouve épaissies de manière à avoir perdu leur transparence,
d'autres fois en partie détruites, perforées en divers
points de leur étendue; elles ne présentent plus dans certains cas que des brides irrégulières étendues d'un point
de la veine à un autre, ou des espèces de franges flottan-
tes dans la cavité du vaisseau. Lorsque les valvules sont
altérées à ces différents degrés, on trouve le plus souvent une certaine quantité de sang coagulé, plus ou
moins intimement adhérent.

La membrane moyenne des veines est susceptible de se
ramollir comme la membrane interne, elle devient facile à déchirer ; et pendant la vie même, tout effort dont
le résultat est de distendre les parois par l'accumulation
du sang qu'il produit dans leur cavité peut devenir cause
occasionnelle de rupture spontanée.

Cette membrane moyenne des veines peut aussi s'atrophier, et alors leurs parois sont très amincies.

Enfin cette membrane peut s'hypertrophier; elle devient alors apparente dans les veines où on ne l'aperçoit pas à l'état normal; dans d'autres veines où elle est ordinairement visible, les fibres longitudinales deviennent plus distinctes, la membrane moyenne perd sa transparence, devient d'un blanc jaunâtre. Si on ouvre la veine, l'orifice du vaisseau reste béant, l'aspect extérieur de la veine rappelle celui des artères; mais la membrane moyenne n'offre jamais de fibres circulaires, et son élasticité est bien moindre que celle des artères.

Quelquefois les parois de la veine prennent un aspect lardacé, qui est dû à du sang décoloré dont elles sont imprégnées, et à la présence duquel elles doivent leur épaisseur.

Les veines peuvent s'ulcérer, ou même se perforer sans que toujours il y ait autour de la perforation de lésion appréciable, et elle a lieu alors soit spontanément, soit sous l'influence d'une violence extérieure. D'autres fois, autour du point perforé existent des altérations, telles qu'ulcérations, ramollissement, atrophie.

Ces préliminaires m'ont paru convenables pour faire comprendre certaines prédispositions aux varices qui favorisent l'action des causes déjà signalées plus haut.

Suivant M. Andral, la dilatation des veines ou phlébectasie peut exister avec trois états différents des parois: 1° l'état normal, 2° l'état d'épaississement, 3° l'état d'amincissement. Six espèces doivent être admises.

Première espèce. — Simple dilatation des veines sans autre altération, soit dans toute leur longueur, soit par intervalles seulement; la veine présente dans ce second cas une série de renflements plus ou moins éloignés les uns des autres. Cette espèce coïncide parfois avec l'hypérémie chronique d'un organe, ou persiste après que toute hypérémie a disparu. D'autres fois elle est complétement indépendante de toute affection des capillaires.

Deuxième espèce. — Dilatation des veines uniforme, soit par renflements, avec amincissement des parois dans les points dilatés.

Troisième espèce. — Dilatation uniforme des veines avec épaisissement de leurs parois.

Quatrième espèce. — Dilatation par intervalles avec épaississement des parois, dans les points où existent des renflements.

Dans ces deux espèces, le vaisseau augmente de longueur en même temps que de largeur, et comme il ne peut occuper dans le premier sens un plus grand espace, il se replie sur lui-même et devient fléxueux.

Cinquième espèce. — Dilatation des veines avec développement à leur intérieur de cloisons qui séparent la cavité veineuse en locules où le sang s'amasse et se coagule.

On pourrait croire à de petites tumeurs constituées par un tissu spongieux, comme caverneux, où aboutit une veine ; mais, par un examen multiplié, on se convaincra qu'elles ne sont formées que par la veine dont l'intérieur est cloisonné.

Sixième espèce. — Même disposition, mais de plus criblures des parois de la veine, qui communique par une foule de petites ouvertures avec le tissu cellulaire ambiant plus ou moins altéré. Supposez d'ailleurs plusieurs petites veines voisines, ayant subi simultanément cette modification, venant à communiquer les unes avec les autres par les ouvertures qui criblent leurs parois, et on verra prendre naissance un certain nombre de ces tumeurs qui ont été désignées sous le nom de tumeurs érectiles. Le tissu cellulaire qui existe entre ces veines peut devenir le siége d'altérations diverses de nutrition et de sécrétion.

M. Andral a trouvé une fois, dans la jugulaire externe, la disposition de la sixième espèce. Les tumeurs formées par les varices dilatées disparaissent quelquefois spontanément : on trouve alors complétement oblitérées les veines qui leur avaient donné naissance.

Sera-ce à cette dernière espèce qu'il faudra rapporter les varices appelées globuleuses par M. Briquet, analogues par leur forme aux varices anévrismales ? Hogdson en a noté de semblables dans sa trente-et-unième observation, et M. Bonnet, qui appelle de nouveau l'attention sur les tumeurs variqueuses analogues aux anévrismes spontanés, en rapporte une observation curieuse. La tumeur était du volume d'un œuf de poule, recouverte d'une peau saine, sans adhérence avec elle ; elle était molle, fluctuante, indolente. M. Bonnet l'enleva, et lorsqu'il la détacha dans sa partie profonde, il s'écoula en nappe une assez grande quantité de sang, et, en examinant le fond de la plaie et les parois fibreuses de la tumeur, il vit que sa cavité communiquait avec celle de la veine saphène interne. Ses parois se continuaient avec celles du vaisseau, et leur communication était étroite. Ces tumeurs, d'abord fluctuantes, molles et réductibles, finissent par se remplir de caillots, se durcir sans qu'on puisse les vider par la pression. On en trouve d'analogues dans les hémorroïdes.

Les varices et leurs dilatations sont ordinairement remplies de sang en partie liquide, en partie coagulé, et parfois de fibrine déposée contre leurs parois sous forme de pseudomembranes ; elle y forme aussi des concrétions globuleuses irrégulières, que l'on a pu confondre quelquefois avec les phlébolithes. Celles-ci, d'un volume variable depuis la grosseur d'un grain de millet jusqu'à celle d'un pois ou d'une noisette, ont été rencontrées dans les veines dilatées de l'extrémité inférieure du rectum, du co vésical, de l'utérus, des ovaires, du testicule ; dans quel-

ques veines sous-cutanées des membres. M. Andral a
trouvé, dans la veine saphène externe, en un point de ses
parois considérablement épaissies, une concrétion très
dure, du volume d'une noisette, et formée de phosphate
de chaux.

Ces concrétions calcaires poussent quelquefois au devant d'elles la membrane interne, qui se rétrécit derrière
elle et leur forme un véritable pédicule.

Autour des varices anciennes, le tissu cellulaire augmente de densité, ou devient spongieux, plus vasculaire,
souvent ecchymosé. Il sert de moyen d'union aux téguments qui se collent aux varices, s'usent par leur couche
profonde, se rident, et finissent par se perforer, ainsi
que la paroi du vaisseau amincie dans les points corre-
spondants. De là des ruptures mortelles dans les cavités
splanchniques, quelquefois aussi à l'extérieur, par la
perte de sang qu'elles causent.

Signes communs des varices.

Leurs signes varient nécessairement dans les différents
siéges qu'elles occupent; elles ont cependant des caractères communs. Ainsi ces signes diffèrent suivant le volume de la veine affectée et suivant la période où est arrivé son développement.

En général, une veine variqueuse isolée, qu'elle parte
de l'état capillaire, ou qu'elle soit déjà un vaisseau d'un
plus fort calibre, devient par l'état variqueux plus volumineuse. Pour les vaisseaux capillaires de la peau ou de la
conjonctive, le premier effet de ce changement est de les
rendre visibles. On savait par la connaissance de l'anatomie que là existaient des veines capillaires; mais aussitôt
qu'elles sont variqueuses, on les voit. Leur trajet n'est
pas direct. Au lieu de suivre au moins par intervalles des lignes droites, leur marche est sinueuse; elles

suivent une trace ondulée. Très fines, on pourra bien ne
pas les distinguer d'artérioles dilatées. Leurs parois
sont alors si ténues, et la quantité de sang qu'elles contiennent si petite, qu'elles sont d'un rouge vif; mais pour
peu qu'elles s'accroissent, elles prennent une teinte bleuâtre, qui devient de plus en plus foncée. Si ces veines isolées variqueuses sont tégumentaires, elles commencent
par ne donner aucun relief à la partie ; elles sont visibles
sans être saillantes ; mais, si elles sont sous-tégumentai-
res, et qu'elles soient déjà, avant leur dilatation, des veines du deuxième ordre, elles ne tardent pas à présenter un certain relief. Elles constituent déjà une sorte de
tumeur circonscrite ou allongée, souvent un simple ma-
melon bleuâtre ; et si on le touche avec le doigt, comme
le sang qu'elles contiennent est tout à fait fluide, la moindre pression les vide, et il semble que la pulpe du doigt
pénètre dans une cavité dont les parois offrent en quelques points de la dureté. Cela suppose toutefois dans les
varices une certaine ancienneté et une altération notable
des parois ; or nous savons que la dilatation peut avoir
lieu sans épaississement. Néanmoins, dans ce cas encore,
la plus grande résistance des parties voisines (tissu cellulaire) suffit pour donner au doigt cette sensation de rési-
stances latérales. A mesure que la veine variqueuse isolée
s'accroît, elle offre des nodosités plus marquées, elle
dessine des contours plus ondulés, et comme elle s'accroît
en longueur et en largeur sans que les points extrêmes
de son trajet s'éloignent, elle se replie sur elle-même, et
forme alors une des espèces de tumeurs variqueuses.

Varices multiples. — D'ailleurs, si on trouve dans la
pratique des veines isolées variqueuses , il est plus fréquent encore d'en rencontrer à la fois plusieurs dans la
même partie. Aux membres où elles causent plus d'incommodité, on les observe plus souvent au début; mais
aux grandes lèvres par exemple , ce n'est guère qu'à l'état

de tumeur qu'on les voit de prime abord. Dans ces cas de varices multiples, la surface de la partie est sillonnée dé cordons bleuâtres, flexueux, noueux, suivant un très long trajet, et interrompus dans leur longueur par dés paquets variqueux, en général arrondis, de couleur violacée; et qui sont des amas de veines repliées sur elles-mêmes; et adossés par leurs côtés.

Cette disposition est très fréquente aux membres inférieurs; elle n'est jamais plus appréciable que lorsque le membre est maigre, que le tissu cellulaire qui environne les varices est resté sain : souvent alors la peau est elle-même saine et mobile sur les veines et paquets variqueux. Mais, dans des circonstances opposées, soit par l'embonpoint naturel des malades, ou l'engorgement des tissus qui environnent les varices, au lieu de trajets linéaires visibles dans toute leur étendue, la partie affectée de varices se fait reconnaître par l'accroissement de son volume total, l'altération de sa forme régulière, qui, dans les membres, de conique tend à devenir cylindrique, et les varices se montrent à l'extérieur par des mamelons d'une teinte bleue également foncée, séparés par des portions de peau dont la couleur est restée naturelle. Cela se voit aux membres inférieurs, et souvent aussi à l'hypogastre, où quelquefois une très grande quantité de graisse comble les intervalles des varices, et où la peau est d'ailleurs marquée par les stigmates de rides d'un blanc mat qui résultent de ses crevasses après plusieurs grossesses.

Dans la peau et dans les membranes muqueuses, les varices multiples offrent une autre physionomie. Dans le premier cas, les radicules cutanées des veines sillonnent la peau sous l'apparence de raies bleuâtres ou d'un rouge vif, presque sous-épidermiques, et disposées en réseaux plus ou moins serrés (Begin). C'est aussi à la disposition variqueuse des capillaires veineux que sont dues quelques unes de ces tumeurs violacées, d'un rouge lie-de-vin, si communes à la peau du visage, aux lèvres, aux parties supérieures du tronc..Sous le tissu cellulaire sous - muqueux, les varices multiples donnent le plus souvent lieu à des tumeurs d'un bleu vineux, mamelonnées, et, si ce n'est à la conjonctive, se présentent moins souvent sous la forme de cordons noueux ; cela tient évidemment à la disposition normale des veines de la partie. On rencontre les deux dispositions dans les varices du rectum. (V. *Hémorroïdes*.)

Un caractère commun de ces cordons ou tumeurs variqueuses, c'est une sorte de fluctuation *pâteuse* (sauf les cas d'altérations profondes des parois veineuses et du sang contenu). On peut les vider plus ou moins exactement du sang qu'elles contiennent, et c'est à cela qu'elles doivent de former des tumeurs *réductibles*, s'affaissant sous le doigt, disparaissant même complétement dans certaines régions, à l'aine, vers l'orifice inférieur du canal crural, dans la grande lèvre, dans le vagin même, dans le canal inguinal ; elles pourraient alors être confondues avec d'autres tumeurs fluctuantes (abcès froids ou par congestion) ou des hernies réductibles (crurale, inguinale, vaginale), et elles ont donné lieu quelquefois à des erreurs en général plus préjudiciables au chirurgien qu'au malade. L'application des bandages herniaires, à tort prescrite, sert à démontrer que cette tumeur, réduite, se gonfle au dessous de la pelote du bandage, et s'accroît par la pression faite au dessus d'elle. C'est un effet qui s'observe partout où on comprime le tronc veineux au dessus de la dilatation. Cette pression, en effet, y accumule le sang ; la tumeur diminue au contraire sans disparaître complétement si elle est faite au dessous de la poche variqueuse. Ces modifications sont d'autant plus sensibles, qu'une circulation facile existe encore dans les varices et dans les tumeurs qu'elles forment! On sent bien qu'ils sont moins appréciables ou cessent de l'être si les parois sont très altérées, le sang en partie coagulé, la circulation difficile ou complétement arrêtée. On peut tirer de ce signe une réfutation de l'idée particulière de M. Rima sur le reflux du sang de la veine crurale dans la saphène externe.

Ces tumeurs ne sont pas seulement en général complétement réductibles comme pourraient l'être des dilatations anévrismales récentes ; elles reprennent lentement et uniformément leur volume, au lieu de se tendre tout à coup et par saccades isochrones au pouls. Elles n'offrent aucuns battements, à moins qu'elles ne forment une espèce de sac appuyé sur une artère d'un certain volume, ou logeant cette artère, comme cela avait lieu dans l'observation de Cline. La veine jugulaire interne dilatée offrait à sa partie postérieure un sillon pour loger l'artère carotide, différence capitale des varices avec la varice anévrismale, qui ne reçoit pas seulement l'impulsion d'une artère voisine, mais le sang même de cette artère. Celle-ci offre d'ailleurs d'autres signes, de grandes différences, avec une simple varice. Il est intéressant d'y insister un instant, quoique les varices simples soient rares au pli du coude, où s'observe le plus souvent la varice anévrismale. On se rappelle l'exemple de cette varice du pli du coude observée chez une femme très grasse par J.-L. Petit, et dont ce grand chirurgien se servit pour pratiquer plus de 150 saignées à cette dame. On ne pourrait les pratiquer impunément sur la varice anévrismale, qui se distingue par des battements isochrones au pouls, un bruissement ou sifflement particulier, appréciable au toucher et à l'oreille, et, comme les anévrismes des artères ; à l'accroissement des battements par la compression faite au-dessous de la tumeur, et leur disparition par celle qu'on exerce au dessus d'elle.

On ne peut donc confondre cette maladie avec la varice simple. M. Bonnet désigne comme un caractère important dans les varices d'un certain volume et d'une certaine longueur ce qu'il appelle l'ondulation du sang ; le reflux du sang vers son origine par la percussion de la tumeur. Ce reflux indique que les valvules sont insuffisantes, circonstance à noter pour le succès des opérations.

Les accidents produits par les varices sont en général locaux : ce sont des douleurs, des inflammations locales, des ulcérations particulières, des hémorragies par exhalation, par rupture.

Douleurs. — Quand les varices sont isolées, bornées à une partie très circonscrite d'une veine, situées sur une région peu déclive, dans la moitié supérieure du corps, elles peuvent ne causer aucune douleur, et qu'une très légère incommodité. Il n'en est pas de même lorsqu'elles occupent une partie déclive ; comme les membres inférieurs ou le bas du tronc. Elles causent dans l'état de réplétion des veines une tension, une chaleur incommodes, quelquefois des douleurs vives, lancinantes, et des douleurs sympathiques dans les régions voisines.

Inflammations. — Mais c'est surtout dans le cas d'inflammation qu'elles deviennent douloureuses, et ici l'inflammation peut occuper différentes parties. La gêne habituelle de la circulation est souvent suivie d'engorgement du tissu cellulaire environnant, principalement dans les veines sous-cutanées ou sous-muqueuses. L'irritation ne tarde pas à se propager aux téguments mêmes ; il en résulte de l'érythème, ou plutôt une affection eczémateuse qui passe de l'état aigu à l'état chronique, et réciproquement. Aux membranes muqueuses vaginales, mais surtout rectales, survient souvent un suintement séreux plus ou moins abondant. Des douleurs cuisantes accompagnent ce genre d'inflammation symptomatique ; mais la phlegmasie est souvent plus profonde ; elle envahit d'abord la

varice elle-même, et souvent sans que les téguments y
participent, si ce n'est consécutivement.

Des douleurs profondes dans les paquets variqueux ou
dans une ou plusieurs nodosités isolées se font sentir. Le
toucher les exaspère; il semble qu'il existe dans la tumeur un véritable étranglement; en même temps elle devient plus consistante; le sang, d'abord fluide, se coagule, et change la souplesse ordinaire en duretés incom-
pressibles et désormais irréductibles. Il y a une véritable
phlébite locale dont l'importance est très grande, car elle
peut devenir un moyen de guérison spontanée. Quelquefois elle se termine par un abcès circonscrit. Delpech
attribue au caillot le rôle d'un corps étranger qui ulcère
la veine. Le plus ordinairement l'inflammation aiguë cède
au repos, aux émollients, aux résolutifs; la varice acquiert une consistance assez grande, et diminue graduel-
lement de volume: Peu à peu les nodosités qui y répondent disparaissent, et il ne reste qu'un cordon fibreux
imperméable, et quelquefois fibro-cartilagineux.

Mais, sans que la phlébite se termine toujours par oblitération, elle a toujours pour résultat de changer l'organisation des parois veineuses. On les trouve épaissies,
dures, formant un tube solide fibro-cartilagineux (J. Cloquet); la tunique externe, grisâtre, friable, fixe de plus
les veines aux parties voisines; des adhérences intimes
les unissent aux téguments. Le tissu cellulaire, tantôt
augmente de densité, et, pénétré de lymphe plastique,
forme ainsi des sillons dans lesquels, ainsi que je l'ai dit,
peuvent s'enfoncer par la pression les parois veineuses;
tantôt il se laisse pénétrer par le sang, et devient spongieux.

Ulcérations. — Cette altération du tissu cellulaire
voisin des varices et des téguments les dispose dans
certaines régions à des excoriations spontanées, ou produites par la moindre cause accidentelle. Ces excoriations

accidentelles se guérissent avec facilité dans tout autre
lieu. Dans le voisinage des varices, elles sont promptement suivies d'ulcères rebelles d'une étendue très variable, ordinairement d'un rouge vineux, fournissant habituellement du sang noir, que le repos n'arrête pas toujours; et que l'on prendrait facilement, pour des ulcères
scorbutiques si d'autres symptômes du scorbut existaient
chez les mêmes individus.

Hémorragies. — Quelquefois les parois veineuses et
les téguments vis-à-vis des adhérences qui les unissent se
rompent tout à coup sous l'influence d'une nouvelle distension, et des hémorragies graves ont lieu. Plusieurs li-
vres de sang peuvent être perdues soit par les hémorroïdes, soit par les varices des membres. Si la cause qui
donne lieu à la rupture est permanente, comme la grossesse, la mort peut avoir lieu promptement, l'accouchement a lieu prématurément. Dans d'autres circonstances,
la compression suffit pour arrêter le sang.

Dans les varices qui sont recouvertes par une membrane muqueuse, les congestions sanguines qui s'y montrent
sont souvent accompagnées d'hémorragies par exhala-
tions, périodiques ou non, mais très distinctes des ruptures que l'on y observe aussi quelquefois. (V. *Hémorroïdes.*)

Traitement des varices en général.

Il serait superflu de chercher à prouver que parmi
les varices il en est un grand nombre qu'il est convenable de traiter. Il en est cependant aussi qu'on ne doit pas
traiter autrement que la lésion ou l'état dont elles
sont le symptôme; il en est enfin qu'on ne doit pas traiter, parce qu'elles ne constituent ni une difformité cho-

quante, ni une maladie incommode, ou susceptible de
s'accroître.

-'Une foule de veinules variqueuses des parties supérieures du corps ne donnent lieu à aucune indication que
celle d'un régime convenable pour empêcher leur accroissement ou leur multiplication. Les varices qui dé-
pendent de la grossesse disparaissant quelquefois après
l'accouchement et pendant la gestation, elles ne peuvent
indiquer qu'un traitement palliatif. Celles qui résultent
d'une ophthalmie interne ancienne ne donnent point non
plus d'indication étrangère au traitement de cette
ophthalmie.

·Les varices symptomatiques des tumeurs diverses de
l'abdomen, des lésions chroniques des viscères, de-
vraient aussi en général être respectées; ou du moins ne
pas être directement attaquées par des opérations destinées à les faire disparaître. Malheureusement il n'est pas
toujours facile de distinguer dans les varices celles qui
sont symptomatiques. Il est arrivé plusieurs fois que la
disparition de ces varices symptomatiques faisait naître
des accidents graves, qui établissaient leur relation avec
l'état des viscères intérieurs. Mais quand les varices sont
très douloureuses, gênent l'exercice de fonctions importantes, condamnent les malades au repos absolu, on
peut leur opposer ou un traitement palliatif efficace, ou
même des opérations appropriées à leur siége particulier.

Le traitement palliatif consiste pour toutes dans le
changement des habitudes du malade qui favorisent leur
développement ou leur retour, dans la position convenable de la partie (position horizontale, suspensoire) ; dans
des applications réfrigérantes, astringentes, émollientes,
qui varient avec l'état de congestion dont les varices sont
le siége; dans les saignées générales ou locales, dans un
régime modéré, et en général peu nourrissant, antiphlo-

gistique , sauf le cas d'anémie ; dans la compression
pour certaines espèces de varices , et enfin dans des opérations dont le but est de les faire disparaître. Il est
peu de ces opérations , même les plus simples , qui ne
soient modifiées par le siége particulier des varices. Il
nous paraît donc plus convenable de n'entrer dans des
détails plus grands qu'en faisant l'histoire des varices en
particulier , et nous nous bornerons ici à ce qu'elles ont
de plus général.

La plus simple est la *ponction* avec la lancette, qui a
pour effet sur toutes de les vider du sang contenu, et
d'obtenir même une saignée générale, qui s'adresse
plus directement que la saignée du bras aux troncs veineux où se rendent les veines variqueuses, et aux organes ou système d'organes dont la congestion les entretient.

L'*incision* de plus les vide des caillots qui les ob-
struent ; elle convient surtout aux varices volumineuses,
enkystées, et gorgées de sang jusqu'à l'étranglement in-
flammatoire ; elle devient dans ce cas un véritable débri-
dement.

L'*excision* ne convient pas moins à celles-là , mais
s'applique d'une manière plus générale. Elle a pour but
dans la cure des varices, soit d'interrompre plus sûrement
la continuité du vaisseau, afin d'y faire cesser la circulation, ou d'enlever des tumeurs que leur accumulation détermine dans un siége circonscrit. C'est une véritable amputation de tumeurs variqueuses ; à moins que les varices
ne soient situées au voisinage d'un orifice qu'il faut respec-
ter. L'excision n'est alors que partielle, et peut être quelquefois dans ce but seulement remplacée par la rescision.

La *ligature* est employée seule ou combinée à l'incision, à l'excision, ou à la cautérisation. Réduite à sa plus
grande simplicité, elle peut devenir sous-cutanée comme
l'incision. Son effet est tantôt l'interruption du cours du

sang, tantôt la mortification des tumeurs variqueuses ;
elle est passible alors des inconvénients qu'amène quelquefois dans toutes les régions l'étranglement des parties.
Il est bon d'indiquer le résultat de son application sur le
tissu des veines pour apprécier sa valeur thérapeutique.

M. Travers a expérimenté les effets des ligatures
appliquées autour des veines. Au lieu de se laisser sillonner circulairement, au niveau du fil comme les artères, les veines se plissent longitudinalement au dessus
et au dessous du point lié. La tunique interne n'est pas
divisée par l'action de la ligature, qui laisse seulement une
empreinte circulaire que l'on pourrait prendre pour une
solution de continuité, si l'on se bornait à un examen superficiel. La tunique externe paraît seule coupée. La partie du vaisseau qui correspond au cœur se vide et revient
sur elle-même. La partie opposée est distendue par le
sang jusque auprès du point de constriction. Ici, ce liquide forme un coagulum de consistance et d'aspect variable, de plusieurs pouces d'étendue, qui devient bientôt adhérent aux parois du vaisseau.

A l'extérieur, autour de la ligature, se dépose de la
lymphe coagulable, qui infiltre le tissu cellulaire ambiant.
Vers le neuvième jour, les tuniques de la veine commencent à s'altérer, et du quinzième au vingt-cinquième
jour, le fil se détache et tombe. Les extrémités du vaisseau
se rétractent et laissent entre elles un intervalle plus ou
moins considérable, bien qu'elles restent d'abord adhérentes au tissu cellulaire, épaissi par les dépôts de lymphe coagulable.

A la suite d'une expérience faite sur un jeune cheval,
et où la ligature ne s'était détachée qu'au vingt-cinquième
jour, M. Travers, après avoir constaté les résultats susindiqués, reconnut de plus que les extrémités de la veine
n'avaient point éprouvé d'autre rétrécissement que celui
qui résulte de l'action même de la ligature. En examinant

avec soin l'état de la membrane interne, après avoir séparé avec précaution les caillots qui obstruaient l'un des bouts, il ne put reconnaître aucun épaississement des parois ni aucun vestige d'inflammation dans l'une ni dans l'autre partie de la veine.

*Suivant Listón, l'adhésion de la tunique interne à elle-même n'a lieu qu'au moment où la tunique est divisée par l'ulcération produite par la ligature. C'est alors seulement que les bords opposés peuvent s'unir entre eux, et que le vaisseau s'oblitère. (Sanson, *thèse de concours*, 1836.)
-*La *cautérisation* par le cautère actuel est aujourd'hui à peu près bannie du traitement des varices, soit qu'on la destine, comme dans quelques procédés anciens, à l'interruption du cours du sang du vaisseau, ou à la destruction des tumeurs. C'est une méthode douloureuse et incertaine. Il n'en est pas de même de la *cautérisation* par les caustiques; elle convient dans le traitement des varices des membres, ainsi que dans les tumeurs variqueuses. Son action, circonscrite et limitée quand on choisit certains caustiques, la rend alors d'un usage précieux. Elle équivaut à l'excision, moins les dangers de l'incision des veines, mais n'appartient pas comme celle-ci à la plupart des varices.

Les dangers communs de ces diverses opérations sont 1° de s'attaquer aux veines, d'exposer par conséquent à la phlébite locale aiguë, suivie de l'infection purulente, sur les détails de laquelle il serait superflu dans ce concours de s'arrêter davantage; 2° d'agir en même temps comme la plupart des opérations sur la peau et le tissu cellulaire sous-cutané ou sous-muqueux, et de donner lieu par suite à des érysipèles ou des infiltrations purulentes, qui, dans certaines régions, chez quelques individus, et avec une certaine étendue, peuvent devenir des accidents mortels; risque qu'il est du devoir du chirurgien de calculer, quand il est question, comme dans la plupart des cas de varices, de maladies locales compatibles avec une santé générale satisfaisante, à plus forte raison si elles contribuent à l'assurer.

Il faut s'abstenir alors quelquefois même de la *compression*, traitement local le plus usité, qui n'est pas d'une application facile dans toutes les régions, convient mieux aux membres; dont l'effet palliatif est de suppléer au défaut de résistance des parois veineuses distendues, ou, de maintenir des réductions de tumeurs variqueuses, mais dont l'application n'est pas toujours exempte de dangers, parce qu'elle peut être suivie du transport du sang sur un organe important; témoin l'exemple de cette jeune femme qui se faisait avorter à volonté en comprimant les varices qu'elle portait aux membres inférieurs.

La compression dans le traitement des varices, a des avantages qui lui sont particuliers; elle doit toujours être faite d'une manière égale, des branches vers les troncs veineux, dans le sens de la circulation. Elle remplace l'effet des téguments distendus, soutient le tissu cellulaire infiltré, affaisse et résout son induration, s'oppose à ces retours si fréquents de l'inflammation cutanée; en même temps, elle fournit un appui aux parois des veines, y favorise la circulation du sang fluide, s'oppose en partie à la formation des caillots. Elle doit toujours être faite avec des tissus en même temps souples et résistants, qui se moulent aussi exactement que possible sur les parties. On s'en sert pour rapprocher les bords des ulcérations, arrêter les hémorragies et les prévenir. Elle constitue le moyen le plus général de soulagement, remplace les opérations dans les régions ou dans les cas où elles ne pourraient pas être faites. Beaucoup de chirurgiens la regardent même comme préférable dans tous les cas. Ses moyens varient suivant la forme de la partie.

Son action, réunie à la position la plus convenable de la partie, obtient des effets très avantageux; cependant son utilité est aussi de permettre au malade de vaquer à ses occupations. C'est à la condition toutefois qu'elle sera faite avec discernement : car, appliquée mal à propos à des varices symptomatiques, elle fait naître de graves accidents. Mal faite ou sur des parties trop irritées ; continuée inconsidérément lorsqu'il faudrait recourir à d'autres palliatifs, tels que le repos, la saignée, le régime, elle cause des excoriations, quelquefois des phlegmons. Il est, d'ailleurs, certaines régions où elle est difficile à appliquer ; elle se réduit alors à un simple moyen contentif (suspensoir).

Elle n'est, d'autre part, qu'un moyen palliatif, à moins que, faite avec une grande énergie, elle ne tende, comme d'autres opérations, à l'oblitération des veines. Elle convient seule dans les cas de varices trop nombreuses des grosses veines superficielles, et dans les varices cutanées, en général si multipliées, quelquefois très douloureuses ; elle est donc un moyen palliatif d'une grande valeur.

Mais il est un degré de compression locale tout à fait différent de la compression *contentive*, qui s'exerce à l'aide de pièces destinées à agir avec force sur un point circonscrit d'une ou de plusieurs veines, et dont l'effet curatif ne peut être comparé qu'aux opérations déjà indiquées, qui intéressent profondément l'organisation des veines. Ici, comme dans le traitement de l'anus contre nature à éperon, elle agit par la désorganisation et la gangrène circonscrite des parties comprises ; elle a plus de rapport avec la cautérisation potentielle qu'avec toute autre méthode, et semble partager avec elle l'avantage d'une action limitée, et toutefois profonde. Son application paraît appartenir particulièrement à certaines régions, à certaines varices (varicocèle) ; tandis que la cautérisation est d'un emploi plus facile dans la longueur des membres où il faut agir à la fois sur plusieurs points

d'un tronc isolé, et non pas sur plusieurs veines dans le
même point.

ó L'utilité de certaines varices était admise dans l'anti-
quité (Hippocrate). Le danger des opérations qu'ou pratique pour les guérir n'était pas moins connu dans des
temps plus rapprochés, et cependant déjà loin de nous.
L'opinion de Marianus Sanctus est remarquable. « *Sunt
et alia ingenia, quæ venam ligant et incidunt, quæ
non tango, tum propter sævitium et crudelitatem, et
periculum infirmi, tum etiam quod eá nunquam alias
operatus sum, nec operabor, quando modus illè tutùs
mihi non videtur.* »

Une opinion très répandue alors était que les varices,
étant remplies d'un sang mélancolique, excrémentitiel,
devaient être respectées sous peine de forcer ce sang à se
porter ailleurs et à causer de graves accidents. Cette
pensée, erronée quant à la nature du sang, était cependant fondée sur l'observation des varices symptomatiques. J'aurai à revenir sur cette considération en traitant
particulièrement des hémorroïdes.

Des hémorroïdes.

J'ai dû en traiter dans ma thèse, parce qu'elles sont en
effet des varices du rectum. Les anciens n'en doutaient
pas, et, dans leurs écrits, les hémorroïdes sont toujours
placées au nombre des varices. Hippocrate explique ainsi leur formation et leur nature : « Si la bile ou la pituite
s'arrêtent aux veines du rectum, le sang s'échauffe; en
s'échauffant, il distend les veines; cela y fait aborder le
sang voisin par la chaleur. Etant donc fort pleines, elles
forment autour de l'anus un gonflement, une tumeur qui
est froissée par les matières fécales. Elles lâchent alors le
sang qui y était amassé; il sort même ensuite sans être
pressé par les matières fécales. » (Hipp., *De hémorroï-*

dibus, lib.   .) A part l'étiologie, il est difficile de trouver des notions plus précises sur la nature des hémorroïdes. On trouve les mêmes idées dans d'autres passages des écrits d'Hippocrate. [1]

- Il est une maladie de l'anus, dit Celse, dans laquelle les veines se gonflent, et forment des tumeurs (*tanquam ex capitulis quibusdam*) d'où il découle souvent du sang. Les Grecs appellent ce mal *hémorroïdes*. (Lib. VI, cap. 18, n° 9.) Walæus, Boerhaave, Morgagni, considèrent aussi les hémorroïdes comme des varices ; il faut arriver aux modernes pour trouver des doutés et même des opinions formellement exprimées contre leur nature variqueuse. M. Récamier, en 1800, fait une thèse dans laquelle il cherche à établir que les tumeurs hémorroïdales sont des kystes qu'il faut distinguer des varices rectales, qui en sont, dit-il, une complication fréquente. M. de Larroque va plus loin en déclarant que les hémorroïdes ne sont jamais variqueuses. M. de Montègre regarde les tumeurs comme kystiques ou variqueuses. Il est remarquable qu'à partir de ce temps jusqu'en 1828, à une époque où l'anatomie pathologique, éclairée par les travaux de Dupuytren, Bayle, Laennec, était évidemment en progrès, la question des hémorroïdes se soit véritablement obscurcie. Leur étude anatomique même a donné lieu à quelques erreurs pour certains observateurs. On a pris leurs altérations consécutives pour des lésions tout à fait différentes. L'analogie de certaines varices hémorroïdales avec des tumeurs sanguines rencontrées dans d'autres régions a fait croire à une différence de nature, et, suivant une expression heureuse, on n'a pas assez fait attention à *l'âge* des hémorroïdes pour bien reconnaître dans tous les cas leur origine.

- La thèse de M. Jobert a donc véritablement fait époque dans l'histoire des hémorroïdes. Revenant aux idées des anciens, il a distingué, pour ne plus les confondre, l'écoulement du sang, qui n'est qu'un symptôme commun à diverses maladies ; la fluxion sanguine, qui est une de leurs causes, des tumeurs hémorroïdales, qui ne sont à ses yeux que des varices rectales. Il propose de les définir ainsi : « Le mot *hémorroïdes*, dit-il, dans une acception restreinte, ne sera pour nous que des tumeurs variqueuses du rectum avec ou sans écoulement de sang. »

Sans entrer dans une discussion trop longue pour cette thèse, je citerai cependant ici les arguments à l'aide desquels il a réfuté les opinions opposées de MM. Récamier et de Larroque.

1° Les tumeurs hémorroïdales sont des varices du rectum, car elles se rompent comme celles des membres inférieurs, et donnent lieu à des hémorragies abondantes, qui cependant peuvent aussi avoir lieu par exhalation.

2° La couleur rouge du sang qu'elles fournissent quelquefois ne prouve pas que ce sang provienne directement des artères : car, à la suite d'une saignée, si l'écoulement est très abondant, le sang veineux qui n'a fait que traverser les capillaires sans y être modifié est rouge aussi. D'ailleurs, le sang est toujours noir dans les tumeurs hémorroïdales.

3° L'injection par l'artère hypogastrique peut pénétrer dans les hémorroïdes, puisqu'une injection pénètre facilement des artères dans les veines.

4° La forme pédiculée n'établit pas de différence entre les tumeurs hémorroïdales et les varices ; elle dépend de l'époque où on les examine. J'ajouterai que dans les varices proprement dites on en a trouvé de globuleuses (Briquet), qui sont pédiculées.

5° Dans toutes les tumeurs hémorroïdales, on rencontre les *parois d'une veine*.

6° On a eu tort de dire que les hémorroïdes sont vides

de sang, car elles contiennent constamment du sang liquide ou en caillot, comme les autres varices.

7° Enfin il peut exister entre une varice rectale et une
varice d'une autre région des différences *locales*, car la
circulation peut être interrompue dans la première, les
voies de communication avec le système veineux général
étant peu nombreuses ; tandis que dans les autres varices
les anastomoses avec le système veineux général sont
nombreuses, et les valvules, absentes dans les veines rectales, aident à la circulation, et ralentissent le développement des varices. (*Traité des maladies chirurgicales du canal intestinal*, 1829, t. 1, p. 133-136.)

Les observations de MM. de-Latour, de Montègre, de
Richerand et de J.-L. Petit, ont prouvé que le sang peut
sortir des tumeurs hémorroïdales comme d'une saignée
faite par la lancette à une veine des membres.

La périodicité de certaines varices des jambes, prouvée par Franck, Briquet, etc., établit une analogie frap-
pante avec les tumeurs hémorroïdales chez certains sujets.

L'observation suivante de M. Briquet est fort remarquable :

« Une fille de 35 ans porte des varices à la jambe gauche ; elles ont paru à quinze ans, lors de la première in-
vasion des règles, qui ne se sont plus reproduites. Dès
ce moment, à toutes les époques menstruelles, il s'est é-
tabli chaque fois, dans des points différents, sur des trajets variqueux, des vésicules olivâtres, dont la rupture a
donné du sang pendant quatre à cinq jours, quelquefois
même très abondamment. La fin de chacun de ces écou-
lements périodiques était annoncée par un suintement
roussâtre, puis séreux, comme dans les règles. Cette hémorragie se terminait par la cicatrisation des vésicules indiquées. » (Briquet.)

Les recherches anatomiques prouvent avec la dernière évidence que les hémorroïdes sont des varices du rectum. On ne les aperçoit pas toujours, il est vrai, sur le cadavre ; elles disparaissent si elles sont récentes, lors même qu'elles ont montré pendant la vie un volume très notable ; mais il suffit, d'après Brodie, de faire une injection dans le tronc de la veine mésentérique inférieure pour dilater de nouveau les hémorroïdes, ou, suivant Smith, de pousser l'injection par la veine porte.

Mais la vue seule a suffi à Morgagni pour reconnaître le développement variqueux de la veine hémorroïdale interne. *Interna hæmorroïdalis una sub coli intestini fine, et tota recti longitudine, pollicis feré crassitiem æquaret.* (*De sedibus et causis*, lib. III, p. 38.) Même remarque du docteur Colles :

« Après avoir ouvert le rectum en long, je vis à sa surface interne trois vaisseaux sanguins gros comme une plume de corbeau se dirigeant vers la partie inférieure de l'intestin, où ils se ramassaient en un grand nombre de branches ; ces dernières se divisaient à l'infini, et chacune d'elles semblait, par l'entrelacement de ces dernières divisions, constituer une des tumeurs. Les troncs, de même que leurs divisions, n'étaient recouverts que par la membrane muqueuse. (*Dublin's, hosp-reports*, t. 1, p. 152.)

Dira-t-on que ces détails prouvent seulement que les veines du rectum peuvent être variqueuses, et qu'il n'en résulte pas nécessairement que toutes les hémorroïdes sont des varices. Nous pourrions répondre que l'assertion opposée est plus loin encore d'être démontrée. En effet, si nous jetons un coup d'œil sur les écrits les plus récents dans lesquels on traite de la nature des hémorroïdes et de leurs espèces, nous retrouvons dans les discussions faites sur leur nature et leur origine de l'indécision à prononcer qu'elle est toujours veineuse, mais aucune démonstration du contraire (*Dictionnaire* en **25**

volumes), ou bien nous rencontrons des divisions anato-
mico-pathologiques qui ne sont pas opposées le moins du
monde, non seulement à la nature veineuse des hémorroïdes, mais encore à l'opinion qu'elles ne sont en dernière
analyse que des varices des veines rectales. A cet égard,
on est allé trop loin dans les critiques faites des opinions
émises sur l'anatomie pathologique; on a pu dire, sans
nier évidemment l'origine première et réelle des hémorroïdes (je veux dire l'état variqueux des veines rectales),
on a pu dire que parmi les hémorroïdes les unes étaient
variqueuses, d'autres spongieuses, kystiques; et en effet
plusieurs de ces désignations ne sont en réalité que des
variétés anatomiques, qu'il est bon même de conserver
à quelque titre. Les varices elles-mêmes des autres régions du corps le plus incontestablement admises présentent de ces variétés. M. Andral ne cite-t-il pas l'exemple d'une veine jugulaire externe qui offrait les dispositions indiquées dans sa sixième espèce de phlébectasie?
Il ne la considère pas moins comme une varice. Avouons
toutefois, que l'expression de tumeurs érectiles adoptée
par quelques auteurs, qui ont écrit depuis la thèse de
M. Jobert, désigne pour eux en général autre chose que
des varices rectales. Les recherches de MM. Jobert,
Blandin, prouvent que dans le principe les tumeurs hémorroïdales ne sont que de véritables varices rectales. Les
autres apparences qu'elles peuvent offrir à l'anatomiste
ne sont que consécutives, ne se rencontrent guère que
dans les tumeurs externes, et sont dues à la structure des
parties qui sont le siège de l'altération.

Siége. — Le siège le plus ordinaire des varices du
rectum est son extrémité inférieure : quand elles occupent la marge de l'anus au dessous du sphincter externe, on les appelle hémorroïdes externes, elles sont dites internes dans l'intérieur au dessus du sphincter interne; quelquefois on les rencontre au niveau des sphinc-

ters, n re les fibres du sphincter interne, et, suivant J.-
L. Petit, jusque auprès de l'S iliaque du colon.

Causes des hémorroïdes.—Tout ce qui peut produire
une stase du sang dans les parties inférieures du tronc
peut devenir cause d'hémorroïdes. En se plaçant à ce
point de vue, les mêmes causes peuvent donner lieu à
d'autres varices. Cela est évident pour la grossesse ; mais
c'est surtout ce qui détermine la congestion habituelle du
rectum. Les maladies des organes voisins, le canal de
l'urètre (Astley Cooper), la prostate ; quelquefois même la rectite aiguë, la dyssenterie ; les congestions
habituelles du foie, les congestions habituelles passagè-
res ; mais répétées, du rectum produites par l'habitude
des lavements chauds ; la position déclive des veines hémorroïdales dans la position assise sur des coussins fenê-
trés, où la marge de l'anus n'est pas soutenue ; l'absence
des valvules, la présence des sphincters pour les veines
hémorroïdales externes ; la constipation qui accumule les
matières stercorales, et les fait séjourner et durcir dans
l'intestin rectum, les efforts de défécation et d'expulsion
de l'urine, l'existence antérieure d'autres hémorroïdes qui
les rendent plus pénibles, sont des circonstances favora-
bles à la formation de nouvelles hémorroïdes. L'abus des
plaisirs vénériens ; puis, suivant M. Jobert, l'inflammation chronique qui altère la cohésion des parois des veines, l'oblitération de la veine mésaraïque, des branches
de la veine porte, la phthisie, les affections du cœur,
l'abus des purgatifs, de l'aloès, l'usage des supposi-
toires irritants, en sont des causes déterminantes. L'*ec-
zema podicis* m'a paru plusieurs fois en être aussi
bien une cause qu'un effet. L'abus de l'équitation aussi
est signalé. Disons néanmoins de plusieurs de ces causes, dont les unes sont considérées comme prédisposan-
tes, et les autres comme déterminantes ; qu'un examen
critique impossible à faire en ce moment ne leur a point

été appliqué, et qu'il n'établirait peut-être pas la réalité
de toutes.

Hémorroïdes externes. — Nous avons dit que les hémorroïdes sont externes ou internes. Les premières sont
perçues par le malade aussitôt leur formation : des
démangeaisons, un sentiment de gêne extérieur près
de l'anus, la sensation au toucher d'une saillie d'abord
petite, qui augmente de volume, et qui cause ou du
prurit, ou une cuisson vive suivant l'état de la peau
et de la membrane muqueuse qui la revêt, sont les premiers symptômes de ces varices extérieures. Elles peuvent disparaître promptement et pour toujours si la
cause ne se renouvelle pas ; plus souvent elles reviennent à des intervalles plus ou moins rapprochés. Lo-
gées plus haut dans le rectum, ou près de l'anus, au dessus du sphincter externe, elles causent plus de gêne, de
douleur, de pesanteur, avant et pendant la défécation ;
mais elles donnent surtout pendant cet acte la sensation
d'un corps étranger, qui fait croire que la défécation
n'est pas complète. Leur présence détermine alors les
mêmes efforts que si le besoin n'était pas satisfait, et c'est
là certainement une des causes qui entretiennent les tumeurs, les font saigner, favorisent leur étranglement, et à
la longue les chutes du rectum, qui les accompagnent si
souvent, surtout lorsqu'elles sont anciennes.

Il arrive au bout d'un certain temps que les hémorroïdes produites persistent dans le lieu où elles se sont d'a-
bord montrées. Les externes sont visibles à la marge de
l'anus, et présentent un aspect différent suivant qu'elles
sont ou non le siége actuel d'une congestion. Il varie encore avec le nombre des hémorroïdes ; le plus souvent au
début il n'y a qu'une seule tumeur dont la couche extérieure est formée en dehors vers la marge de l'anus par
la peau, au sommet et en dedans par la membrane muqueuse rectale, d'un rouge intense, violacée, d'une teinte

d'autant plus foncée, que la varice est plus gonflée, mais surtout dans les récentes. Quelquefois la tumeur unique est circulaire : c'est un bourrelet qui environne et surmonte l'anus ; elle est alors le résultat de plusieurs varices très rapprochées, et ce bourrelet hémorroïdal est mamelonné. Par l'ancienneté, les sinus qui séparent les varices deviennent de plus en plus profonds, et c'est dans leur fond qu'on observe les fissures qui compliquent les hémorroïdes. Après la congestion rectale qui avait gonflé la varice, elle revient sur elle-même, s'affaisse, se flétrit ; les téguments qui la doublent se rident, et si elle était très récente, toute trace de sa présence disparaît. Toutes les fois donc que l'on voit à la marge de l'anus des hémorroïdes flétries, petites, ridées, on peut affirmer qu'elles ont été à diverses reprises le siège d'une congestion.

La base des hémorroïdes externes est plus ou moins large ; elles peuvent n'être apparentes que par un sommet arrondi, ou au contraire plus ou moins détachées, pédiculées ; quelquefois ce pédicule est très mince. Quand elles sont larges par leur base, elles paraissent au premier coup d'œil presque entièrement revêtues par la peau ; il faut les renverser en dehors comme les abcès des grandes lèvres de la vulve pour reconnaître l'aspect violacé de la muqueuse soulevée. On pourrait les prendre alors pour de petits abcès à la marge de l'anus, qui sont d'ailleurs une de leurs terminaisons ; mais elles sont plus violettes que les abcès, plus élastiques, moins douloureuses au toucher, plus réductibles.

Anciennes, leur teinte est moins violacée (je parle toujours des hémorroïdes externes), le tissu cellulaire qui double la veine s'épaissit, et le vaisseau lui-même quelquefois s'oblitère. C'est l'origine des hémorroïdes sèches, des marisques.

Ce sont ces marisques que l'on pourrait confondre, ou

du moins qu'il faut distinguer des polypes du rectum et
des excroissances syphilitiques. Les premiers ont, il est
vrai, la même couleur; mais ils sont plus résistants, ils
sont plus souvent pédiculés, n'ont point été précédés de
congestions rectales répétées, accompagnées de symptômes généraux. L'écoulement de sang auquel ils donnent.
lieu est à la fois moins abondant et plus continu. Leur
développement est graduel et n'offre pas d'alternative
de congestion et de flétrissure. Il en est de même des
condylomes syphilitiques, dont l'origine se rattache à une
maladie vénérienne déjà prouvée par d'autres symptômes
actuels ou antérieurs. Leur développement est rapide, et
parvient souvent à un volume énorme; elles n'ont point
une teinte violacée; leur forme est crenelée, tout à fait
caractéristique, et chez les femmes elles occupent en général en même temps la vulve.

John Burne a signalé une autre espèce de marisques,
constituées par un tissu cellulaire devenu épaissi, hyper-
trophié, recouvert par la membrane muqueuse et le tissu
sous-muqueux, repoussé à travers l'anus, pressé par la
contraction des sphincters, et constituant une tumeur extérieure qui ne rentre jamais, et qui quelquefois s'en-
flamme sous l'influence du frottement, s'excorie, s'ulcère
même, mais ne fournit pas de sang; elles s'aplatissent,
s'allongent, et offrent un bord épais et arrondi; elles
prennent à la longue les caractères de la peau extérieure.
Ce serait à vrai dire un état rudimentaire de la chute du
rectum; mais il faudrait qu'il fût prouvé par la dissection
qu'il n'y a dans son épaisseur aucune veine oblitérée.

Les hémorroïdes *internes* à leur début donnent lieu à
une tension et une douleur gravative, que le malade peut
rapporter à un lieu plus élevé que l'anus. Si le doigt est
introduit dans le rectum, on ne sent pas toujours alors
des bosselures résistantes; mais l'excavation que l'on
trouve ordinairement au dessus du sphincter interne sem-

ble située plus haut, et on pourrait croire que l'anus, à
une certaine longueur, est un trajet au lieu d'une ouverture. L'introduction du doigt, comme la sortie des matières
fécales, est gênée sans que cela tienne à la constriction
des sphincters. Le malade est obligé à faire de plus
grands efforts pour rendre les fèces, qui causent de vives douleurs, expriment quelquefois le sang de la muqueuse rectale gonflée, et, si elles ne sont pas trop résistantes, passent pour ainsi dire à la filière dans cette espèce
de rétrécissement passager du rectum. Si elles sont dures, elles forcent le passage, en causant un sentiment de
déchirure ou de brûlure analogue à celui que causent les
fissures ; elles sortent en poussant devant elles et à côté
d'elles la membrane muqueuse du rectum et les saillies
hémorroïdales, qui deviennent plus prononcées par cet
effort. Cette sorte de bourrelet saillant rentré au moment
de la contraction du sphincter, ou il en reste une portion
au dehors, qui rentre lentement, comme le fait observer
Boyer, aussitôt que la contraction de l'anus diminue. Ce
bourrelet d'hémorroïdes internes peut exister en même
temps que des hémorroïdes externes disposées tout autour de l'anus, de sorte qu'il y a, ainsi que Dupuytren
l'a avancé, un bourrelet externe et un bourrelet interne.
Quand tous deux sont à l'extérieur, quelquefois ils ne forment plus qu'une tumeur totale, dont la partie extérieure
est revêtue par la peau anale, et la partie saillante et le
centre offrent des tumeurs d'un violet tirant sur le noir,
quelquefois muriformes, disposées en anneau au milieu
duquel est l'ouverture du rectum. Quelques unes de ces
hémorroïdes internes peuvent se gonfler plus que les autres, et augmentent ainsi l'inégalité de la tumeur totale.
 Quelquefois aussi, au lieu de ce bourrelet, il n'existe
à l'intérieur, mais près de l'anus, qu'une ou deux varices, qui, lors des congestions rectales, sortent à chaque
instant, quoiqu'il soit possible au malade de les rentrer

dans la position horizontale ou par la moindre pression.
Elles sortent même sans que les malades aillent à la selle,
et tiennent ainsi, par leur position comme par les phénomènes auxquels elles donnent lieu, une sorte de milieu
entre les hémorroïdes internes et les externes.

Peu à peu, à mesure que les varices rectales internes
s'accroissent, non seulement elles sortent à chaque défécation, mais elles ne rentrent plus complètement; quelques
unes contractent des adhérences à l'extérieur. M. le professeur Boyer dit que, lorsque les hémorroïdes internes ont
acquis un volume considérable, elles ne sortent plus quand
le malade va à la selle, ou ne sortent que dans les efforts
violents de défécation qu'exigent des matières très dures.
Il faut donc, pour qu'elles ne sortent pas, que des lavements, quelquefois si difficiles et si douloureux à recevoir alors, aient été administrés. Il est probable que ces
alternatives, signalées par ce vénérable professeur, tiennent aux variétés que présente la consistance des matières : car, dans la plupart des cas, les hémorroïdes internes volumineuses sortent à chaque défécation, et le
malade n'a d'autre moyen d'éviter leur sortie que de se
condamner à l'abstinence, pour avoir moins d'évacuations.

La seule présence des hémorroïdes internes suffit,
lorsqu'elles sont enflammées, pour donner des épreintes;
elles ont encore, ainsi que les hémorroïdes externes plus
ou moins gonflées, l'inconvénient de s'opposer à ce que
la totalité des matières soit rendue. Il est d'observation
que les personnes affectées d'hémorroïdes sont obligées
de se présenter un plus grand nombre de fois dans la
journée pour satisfaire ce besoin, tantôt à cause des é-
preintes, qui leur en imposent sur sa réalité, tantôt parce qu'il existe ici quelque chose qui n'a pas encore été
signalé; c'est un effet analogue à ce qui se passe dans
les rétrécissements de l'urètre ou les tumeurs de la pro-

state, où les besoins d'uriner sont fréquents, sans que la vessie puisse se vider complétement. Les lavements, l'emploi des laxatifs, deviennent alors d'une grande utilité, à moins que la congestion rectale ne vienne à cesser par une cause quelconque.

J'ai dit que les hémorroïdes internes sortaient avec les fèces; il faut ajouter qu'elles entraînent bientôt avec elles la membrane muqueuse rectale située entre elles et au dessus d'elles : elles se compliquent donc de chute du rectum. On voit entre les tumeurs, ou au sommet de la tumeur totale, ou dans l'orifice central qu'elle présente, une portion plus ou moins considérable de la membrane muqueuse du rectum, différente par sa couleur, à moins qu'il n'y ait étranglement produit par l'anneau du sphincter; en général, sauf ce cas, d'un rouge plus vif, moins violacé, fournissant toutefois des mucosités sanguinolentes, etc.

Un caractère des hémorroïdes internes, c'est d'être mobiles, et de pouvoir être réduites dans la cavité de l'intestin quand il n'existe pas d'étranglement trop considérable; elles peuvent être isolées avec le doigt ou avec une sonde de femme des parois de l'anus, au contour duquel les hémorroïdes externes sont continues; il n'y a d'exception que le cas rare où elles auraient contracté des adhérences au dehors; encore leur position centrale, et le voisinage d'autres hémorroïdes évidemment externes, suffiraient-ils à les faire reconnaître.

Irritées par les matières fécales, le frottement des parties voisines, des vêtements, certains corps étrangers mêlés aux aliments, et qui s'engagent dans leur substance, la compression réitérée à laquelle les tumeurs internes sont soumises, l'étranglement même qu'elles subissent, le retour de la congestion rectale, qui les gonfle, les hémorroïdes sont très sujettes à s'enflammer, et présentent alors des effets variés.

La congestion rapide qui les remplit peut donner lieu à un épanchement de sang dans le tissu cellulaire qui leur est extérieur. (*Hémorroïdes de Ribes*.) S'il a à la longue acquis plus de densité, cette ecchymose circonscrite s'accompagne d'irritation vive, avec étranglement, même dans les hémorroïdes externes, non comprimées par l'anneau du sphincter ; quelquefois l'inflammation se propage dans la veine même ou dans le kyste qui communique avec elle. Cette phlébite locale est suivie le plus souvent d'abcès extérieur très douloureux, et, si on l'ouvre, on trouve dans le foyer un caillot sanguin, noir, et qui s'échappe comme s'il avait rempli une cavité fortement distendue.

Quelquefois l'inflammation extérieure est beaucoup moins circonscrite ; c'est là une des origines des abcès moyens de la marge de l'anus. Il arrive aussi que ces abcès, circonscrits ou non, s'ouvrent à l'intérieur comme à l'extérieur, et il en résulte des fistules anales, dont l'orifice interne est voisin de l'anus, et qui ont été bien étudiées par MM. Larrey et Ribes.

L'inflammation des bourrelets hémorroïdaux est souvent suivie de fissures très douloureuses, ai-je dit ; elles augmentent beaucoup les incommodités de la maladie principale, finissent même par causer de plus vives douleurs, et présentent des indications indépendantes des hémorroïdes qui se sont flétries, et ne sont plus le siége de congestions fréquentes. Si on pratique alors l'opération de la fissure, il est ordinaire que, par le fait de cette opération ou de l'introduction des mèches qu'il est d'usage d'employer, une ou deux hémorroïdes flétries s'enflamment de nouveau, et forcent le chirurgien à les exciser. La même remarque peut s'appliquer aux suites de l'opération des petites fistules stercolales dont j'ai parlé plus haut.

La chute du rectum, qui accompagne les hémorroïdes,

se guérit par le traitement qui leur convient. J'aurai occasion, à l'article *Traitement*, de revenir sur ce sujet. Dans ces cas, la membrane muqueuse de l'intestin est évidemment le siége d'une inflammation vive; mais, lors même qu'il n'y a pas renversement de l'intestin, la phlegmasie des veines hémorroïdales s'accompagne, d'une rectite symptomatique.

Les parties voisines, la prostate, la vessie, l'urètre, sont aussi le siége d'un certain degré de congestion et d'irritation sympathique et symptomatique; il y a ordinairement dysurie; quelquefois, dans les cas graves, rétention d'urine; l'urine est rouge et légèrement catarrhale. Ces accidents sympathiques sont aussi marqués chez la femme; mais chez elle la matrice supplée souvent par un écoulement spontané ou flux sanguin, qui n'a point lieu alors par les hémorroïdes.

L'inflammation du paquet hémorroïdal est beaucoup plus violente encore dans les cas d'étranglement; alors la tumeur est réductible ou irréductible. Dans le premier cas, tout rentre dans l'ordre; mais, dans le second, la tumeur prend une teinte d'un noir bleuâtre, ardoisé, et, si le malade n'est promptement secouru, la gangrène s'empare d'une portion ou de la totalité des parties herniées.

Cet accident peut être prévenu par la rupture de quelques varices de la tumeur, pourrait l'être sans doute par des scarifications, ou une incision à défaut de rupture; et, lorsqu'il a lieu, il n'est pas toujours, suivant Ravaton, très fâcheux par ses résultats définitifs, parce que le malade se trouve débarrassé de la tumeur, dont une ablation plus dangereuse aurait pu faire justice.

L'hémorragie répétée est aussi un accident des varices rectales comme des autres varices. Son abondance, mesurée à la résistance du malade et à la cause de l'écoulement du sang, est tout à fait relative. Elle peut, cependant conduire à l'anémie un sujet même robuste et primitivement pléthorique; il est évident que, pour appliquer à ce cas un traitement convenable, il faut avoir jugé de la cause qui l'entretient, et s'il tient, par exemple, à une altération des parois veineuses, à une cause locale, qui soit accessible aux moyens chirurgicaux.

Je ne puis qu'indiquer ici les congestions hépatiques, qui causent, précèdent, accompagnent le développement des varices du rectum; elles jouent certes un grand rôle lorsqu'il s'agit de poser les indications du traitement, mais elles ne peuvent m'occuper plus long-temps dans la description des accidents hémorroïdaires. Quant à la constipation concomitante de cette affection, elle présente ici les inconvénients ordinaires; son existence et son traitement sont nécessairement liés à la cause des varices rectales et au traitement qui leur convient le mieux.

Pronostic. — Il est rare que les varices rectales produisent la mort. Leur apparition a été quelquefois une circonstance heureuse : on peut rappeler ici l'aphorisme d'Hippocrate, non pour le prendre à la lettre, mais pour tirer cette conséquence qu'il ne faut pas opérer toutes les hémorroïdes, et qu'on doit prendre avant tout en considération la constitution du malade, les maladies concomitantes, et apprécier, si je puis le dire, la portée des hémorroïdes dont il est affecté. Ces considérations sont peut-être plus applicables aux varices rectales qu'à toute autre espèce, parce qu'il en est peu qui soient aussi souvent supplémentaires d'une autre affection. Il est vrai qu'il n'en est pas non plus qui causent des douleurs plus vives, des incommodités plus répétées. C'est donc aux accidents graves des hémorroïdes qu'il faut appliquer surtout les opérations chirurgicales. Aux simples incommodités qu'elles causent il faut approprier le régime, les applications locales, les modifications dans les habitudes. Ces moyens

simples suffisent quelquefois pour les faire disparaître,
car ils agissent sur la cause.

Les varices rectales sont susceptibles de cette phlébite
spontanée que nous avons signalée dans les généralités
comme moyen de guérison des varices. Il semblerait au
premier coup d'œil que cette solution devrait être la plus
favorable; mais, sous ce rapport, il n'en est pas tout à
fait de même des hémorroïdes que des autres varices. La
disparition véritablement durable est celle qui ne résulte
pas seulement de la cessation de la cause, mais qui laisse
les hémorroïdes flétries, molles, confondues avec les plis
de l'anus. Les résultats de la phlébite spontanée et locale
ne sont pas aussi satisfaisants; elle peut donner lieu à des
marisques qui occupent la marge de l'anus, et qui, bien
qu'isolées des veines rectales, sont soumises par leur position à des causes d'irritation externe, qui les rendent
encore incommodes : je n'y reviendrai pas.

Le traitement est palliatif ou curatif. On doit distinguer
aussi celui des hémorroïdes et celui de leurs accidents.
Il variera suivant qu'elles seront externes ou internes.

Varices externes. — Elles sont ou non enflammées,
avec ou sans étranglement, accompagnées ou non d'un
écoulement de sang abondant; de douleurs plus ou moins
vives. La circonstance des accidents ou complications est
tellement importante, qu'on ne peut se dispenser de traiter ces dernières, et que l'existence des varices peut toutefois être respectée. Leur congestion seule, sans inflammation vive, est déjà un accident qu'on doit combattre.
Il exige le repos dans la position horizontale, sur le côté,
l'application de cataplasmes froids, de lotions fraîches,
des demi-lavements frais ; quelquefois de larges saignées
du bras deviennent nécessaires; la diète ou des aliments
légers et doux, l'usage des minoratifs, suivis d'évacuations dans la position horizontale. (Burne.)

On recommande aussi, dans la congestion non phlegmo-
neuse, des onctions avec des pommades narcotiques ou
astringentes, la poudre d'ellébore noire, les extraits de
jusquiame, de belladone, incorporés dans l'axonge, l'on-
guent populeum seul ou uni au laudanum liquide, et des
jaunes d'œufs (Buchan), une pommade contenant de la
noix de galle. Les bains, souvent utiles, ne le sont pas cependant constamment; il en est de même des saignées locales. L'application des sangsues sur les hémorroïdes,
vantée par M. Récamier, donne lieu assez souvent à des
douleurs plus vives, que préviendrait une incision ou
ponction plus profonde. Il vaut mieux poser les sangsues à une certaine distance en dehors de la marge de
l'anus, ou à la base du sacrum.

Les applications froides sont indiquées aussi dans le
cas d'hémorragie, et Burne a conseillé pour ce cas l'u-
sage intérieur de la térébenthine, qui pourrait réussir
aussi dans la simple congestion, si l'on en juge par l'u-
sage utile de la poix résine, en pilules d'un à deux grains
trois fois par jour, recommandée dans ces derniers temps
par le docteur Wardleworth. (Lancet, 1840.)
Si l'hémorragie formée par des varices externes ulcé-
rées ne cède pas à la compression, aux applications
externes, on peut procéder à leur ligature ou à l'excision. Nous y reviendrons plus bas. On pourrait aussi toucher le point ulcéré qui donne du sang avec le cautère
actuel.

L'incision ou la ponction avec le bistouri convient surtout dans les cas d'étranglement, d'hémorragie enkystée,
et d'inflammation violente. Les douleurs cessent alors
presque immédiatement; mais ce n'est là en général
qu'un moyen palliatif, qui a pour inconvénient de rendre
par les cicatrices les tissus qui enveloppent la varice plus
durs, ce qui favorise un nouvel étranglement.
Le traitement curatif et chirurgical des hémorroïdes se

compose de la compression, l'excision, la ligature, la cautérisation; et nous ajouterons pour les tumeurs internes de l'excision des plis rayonnés de la marge de l'anus. (V. plus bas.)

Le traitement palliatif des varices rectales internes est, sauf l'incision, celui qui a été indiqué plus haut. Les lavements ne peuvent point alors être donnés aussi facilement. L'introduction de mèches dans l'état aigu me paraît peu convenable; mais Burne vante l'emploi des bougies de grosseur variable, introduites dans le rectum pour relâcher les sphincters, comprimer doucement les tumeurs, favoriser leur réduction, et faciliter les évacuations alvines. On s'en gardera toutefois dans les cas de fissures douloureuses.

Si les varices internes sont devenues externes, elles seront réductibles ou étranglées. Encore réductibles, le malade les repousse quelquefois facilement avec le doigt, et pour le chirurgien le taxis est le même que pour la chute du rectum. Après l'usage de lotions fraîches, astringentes, ou quelquefois de prime abord, ce qui est préférable, afin d'éviter l'étranglement, il couvrira la tumeur d'une compresse enduite d'huile ou de cérat, et, disposant les trois premiers doigts de la main droite en cône, ou avec un seul doigt, il pressera doucement sur le sommet ou la partie centrale de la tumeur, pour faire rentrer les premières les portions sorties les dernières; dans les cas graves, il faut débuter par des scarifications, et répéter les irrigations froides.

La réduction obtenue, on insiste sur le traitement palliatif; mais les hémorroïdes peuvent ressortir fréquemment, donner lieu à des pertes de sang qui épuisent les malades, et dans ce cas, soit que les hémorroïdes soient externes, soit qu'elles soient internes, on peut être conduit aux autres moyens chirurgicaux. Une hémorragie provenant du sommet ulcéré d'une hémorroïde interne peut être arrêtée par le cautère actuel, soit à l'aide du speculum, soit en faisant ressortir l'hémorroïde ulcérée. Le tamponnement est encore dans ce cas un moyen usité ; nous en jugerons plus bas les avantages et les inconvénients.

Avant d'opérer des hémorroïdes internes qui sortent et s'étranglent avec facilité, on peut imiter le docteur Guyot, qui, dans un cas analogue, où l'opération, à cause de l'ancienneté de la maladie, avait été jugée impraticable par Delpech et Dupuytren, imagina un appareil à ressort élastique dont la pelote, appliquée sur l'anus, maintint la réduction, diminua par cela même la congestion et les hémorroïdes, et réduisit la maladie à une simple incommodité dans l'espace d'un an. C'est déjà là un mode de compression.

Sauf l'incision, dont nous avons déjà dit un mot, on ne doit songer aux méthodes opératoires que lorsque les hémorroïdes ne sont pas dans l'état d'inflammation.

L'incision elle-même peut alors être mise en usage, dans le but de guérir radicalement les hémorroïdes soit externes, soit internes. Dans les cas d'hémorroïdes récentes, l'incision d'une seule suffira ordinairement pour vider les tumeurs voisines ; mais, si elles sont isolées par l'effet des inflammations répétées, il faut alors autant d'incisions que de tumeurs. Une légère pression détermine la sortie des caillots sanguins. En général, il n'y a point d'hémorragie inquiétante.

La rescision du sommet de l'hémorroïde avec des ciseaux est un autre mode d'incision préféré dans certains cas. Appliquée aux hémorroïdes internes, la rescision aurait les mêmes chances d'hémorragie que l'excision.

La *compression*, suivant Dupuytren, serait difficile à appliquer même aux hémorroïdes externes ; le lieu ne lui est pas favorable : car, à moins de faire un tamponnement du rectum pour s'y faire un point d'appui, elle se réduit à peu près toujours à une compression latérale exercée sur un seul côté. On peut y rapporter cependant l'usage du brayer de Guyot, des bougies de Burne, des mèches de charpie volumineuses, jugées utiles d'ailleurs pour assurer les évacuations alvines; mais il faut que les hémorroïdes internes soient indolentes.

La *ligature* des varices rectales a été jugée sévèrement d'après l'arrêt prononcé contre elle par J.-L. Petit. Dupuytren avait adopté son opinion, et répétait qu'elle expose à de vives douleurs, à l'inflammation et aux accidents de la hernie étranglée. Toutefois, d'après les observations de J.-L. Petit, il est évident qu'il ne croyait pas la ligature aussi dangereuse quand on avait préalablement mis à nu la varice par une incision. Il l'avait vu employer et l'avait employée lui-même un certain nombre de fois sans accident. La seule conclusion qu'il tire des observations fâcheuses qu'il ait faites, c'est que depuis ce temps il se garda bien de lier les hémorroïdes avant de les dépouiller *exactement* de leurs membranes; mais il ajoute qu'après les avoir dépouillées, il a souvent préféré l'amputation à la ligature. Celle-ci a été rejetée d'une manière absolue par le docteur Smith, à cause des douleurs qu'elle cause, et par Kirby, qui a vu le tétanos et la mort en être le résultat. Elle a cependant pour défenseurs Pott, Astley Cooper, Copland, Mayo, Burne, qui lui accordent la préférence dans la majorité des cas. Mais n'y a-t-il pas une distinction à établir à cet égard entre les hémorroïdes externes et internes? J'ai vu récemment dans le service de M. le professeur Breschet un malade auquel la ligature d'une hémorroïde externe était pratiquée, et qui n'éprouvait pas d'accidents graves; peut-être aussi faut-il éviter d'en lier plusieurs le même jour. Devra-t-on suivre le conseil de J.-L. Petit de mettre complètement la varice à nu avant de la lier? Ce sont

là des questions à examiner de nouveau. M. Begin conseille de pratiquer la ligature avec un fil de soie mince,
de détruire complétement la circulation immédiatement,
et d'enlever la tumeur au dessous. Ce procédé mixte ne détruit aucun des accidents connus d'une ligature bien faite;
c'est l'adoption pure et simple de ce moyen de traitement.
Quant à la ligature appliquée à un paquet hémorroïdal,
malgré le procédé de M. Rousseau, détaillé dans l'ou-
vrage de Chelius (traduction de Pigné), je n'adopterais
point ces ligatures multipliées, et je crois que cette opération aurait, avec un mode pareil, tous les dangers qui
lui ont été reprochés.

L'*excision* est pour les varices rectales la méthode la
plus généralement adoptée en France. On lui reconnaît
pour les hémorroïdes internes le grave inconvénient de
l'hémorragie, qu'il est possible toutefois d'éviter par divers procédés : le cautère actuel (Dupuytren), la ligature
immédiate et *successive* des vaisseaux (M. Jobert.) Mais,
par un singulière coïncidence, c'est la méthode rejetée
par Astley Cooper, Burne, etc., partisans de la ligature,
et qui attribuent à l'excision tous les accidents graves :
inflammation de l'intestin et du péritoine, hémorragies
graves, phlébite. Il y a dans les deux opinions du vrai et
de l'exagération ; mais il faut avant tout, et je dis cela
pour tous les procédés opératoires appliqués au traitement des hémorroïdes, faire une distinction continuelle
entre les hémorroïdes internes et les hémorroïdes externes, sans cela il y a une confusion perpétuelle dans les
idées.

Hémorroïdes externes. — Ici l'excision est une très
bonne méthode. Les hémorragies sont quelquefois assez
abondantes, mais faciles à arrêter par la compression, le
cautère actuel, les réfrigérents même (applications froides, bains froids). J.-L. Petit propose de découvrir la varice par l'incision ; de l'attirer au dehors de la plaie avec

l'érigne, afin de l'isoler, et d'exciser son pédicule. Suivant lui, il évite ainsi l'hémorragie *abondante*, parce qu'il recouvre le point correspondant à l'excision par la peau ménagée, sur laquelle il applique des bourdonnets soutenus par le bandage en T, ou son tamponnement du rectum arrêté au dessus du sphincter. Sabatier s'est fait le défenseur de ce procédé, attaqué par quelques modernes comme trop dangereux dans le cas d'hémorroïdes internes, pour lesquelles il n'a pas été proposé. On peut douter qu'il soit indispensable contre l'hémorragie, qui n'a pas lieu le plus souvent; mais, en ne l'adoptant pas, ne risque-t-on pas le rétrécissement consécutif du rectum? Il faut encore ici faire quelque différence relativement à la position de l'hémorroïde. Si elle est intra-anale, si je puis ainsi dire, il pourrait arriver ou qu'elle fût primitivement interne, et ne fût devenue externe que par des adhérences que l'excision détruit nécessairement; et alors elle pourra remonter au niveau du sphincter interne, ou même au dessus; ou bien elle est réellement implantée au niveau des sphincters, et l'excision complète jusqu'à la base pourrait donner lieu au rétrécissement ultérieur de l'anus. C'est pour éviter cet inconvénient fâcheux que Dupuytren n'excise alors qu'une portion de la tumeur saillante au dehors (*Leçons orales*). On laisse, dit-il, une masse assez considérable à la marge de l'anus, qui pourrait faire croire qu'on n'a point emporté une quantité suffisante du bourrelet; mais, avec la cicatrisation, tout rentre dans l'ordre. Cette méthode vaut mieux sans doute que celle de l'incision de l'anus et du sphincter pour s'opposer au rétrécissement anal proposé par Boyer; mais, avant de blâmer celle-ci, il faudrait se rappeler que cet habile chirurgien ne proposait cette modification, si les mèches ne suffisaient pas, qu'après l'extirpation d'hémorroïdes *internes*. L'excision partielle du bourrelet d'hémorroïdes serait préférable, toute-

fois, s'il y a, dans ces cas, une hémorragie que la constriction du sphincter ne suffise pas pour arrêter, et
qu'on soit forcé d'user de la cautérisation ; on devra
craindre encore une certaine étroitesse de l'orifice anal,
puisque le cautère actuel ne ménage pas nécessairement
les fibres du muscle.

Du reste, de l'aveu même de J.-L. Petit, la conserva-
tion de toute la peau et des membranes qui enveloppent
l'hémorroïde ne suffirait pas toujours pour s'opposer au
rétrécissement ultérieur de l'anus : car il cite une observation où, malgré cette précaution, le rétrécissement fut
extrême, faute d'avoir pu faire porter au malade des mèches pendant un temps suffisant. Le traitement habituel
de la chute du rectum peut faire paraître exagérée cette
crainte du rétrécissement de l'anus.

Hémorroïdes internes. — L'excision exige de grandes
précautions, peut être suivie de graves accidents, et on
ne doit se déterminer à l'employer que sur des indications bien urgentes, par exemple des hémorragies incessan-
santes, une gêne considérable dans les fonctions digesti-
ves et les évacuations, l'ulcération et la suppuration des
paquets hémorroïdaux, leur sortie continuelle, avec ou
sans étranglement, la certitude qu'on ne peut arrêter ces
accidents par d'autres opérations ou un autre traitement.
À moins d'accuser J.-L. Petit d'erreur grave ou d'impos-
ture, on doit faire attention, dans ces cas graves, aux
observations qu'il a données sur l'influence de la syphilis
et de son spécifique, auquel il attribue la guérison de
quelques uns de ses malades. J.-L. Petit regardait cependant les hémorroïdes comme des varices. A l'époque
actuelle toutefois, et jusqu'à nouvel examen, on ne comprend pas la guérison d'hémorroïdes internes par l'emploi du mercure, qu'on trouve même si infidèle dans les
rétrécissements du rectum de cause vénérienne.

Il faut, pour exciser les hémorroïdes *internes*, qu'elles

soient sorties spontanément ou artificiellement. On engage le malade à pousser de manière à faire sortir le paquet hémorroïdal, ou on lui fait prendre un lavement, et
on retient au dehors les varices avant l'excision par des
procédés divers. Elles forment en général un gros bourrelet divisé en plusieurs portions; on peut passer un fil
dans chaque portion (Boyer, Velpeau), ou saisir le bourrelet avec des érignes, ou la pince de Museux (Dupuytren, Jobert). M. Lisfranc incise verticalement le cercle
formé par les hémorroïdes, et, faisant saisir un des côtés
de la plaie par les doigts d'un aide, il s'empare du côté
opposé avec deux doigts de la main gauche. Dupuytren
coupait d'un seul coup le bourrelet hémorroïdal; l'opération était plus courte, mais il s'exposait ainsi davantage à
l'hémorragie, et lui-même a dit que cet accident, quelquefois mortel, avait lieu chez les deux cinquièmes des
malades. Boyer saisissait les chefs de chaque anse du fil
dont il avait traversé les parties de la tumeur, et faisait
pour chacune une excision isolée. Cette excision faite, la
plaie rentrait dans le rectum, et, pour éviter la perte du
sang, un tamponnement était fait immédiatement, après
avoir toutefois vidé le rectum du sang qu'il pouvait déjà
contenir. Dupuytren ne tamponnait pas, mais laissait auprès du malade un aide chargé de le surveiller, et, s'il y
avait hémorragie interne, d'appliquer sur les points qui
donnaient du sang le cautère actuel. Cette hémorragie est
après l'excision des hémorroïdes internes très insidieuse,
parce que le sang, au lieu de s'écouler au dehors, remonte dans le colon, et ne se fait connaître que par les
signes des hémorragies intérieures, lorsque déjà le malade a perdu une grande quantité de sang. Elle peut aussi
échapper au tamponnement, et exiger à diverses reprises
le renouvellement du pansement. J.-L. Petit, Boyer, Dupuytren, M. Roux, ont vu périr des malades à la suite de
l'excision des hémorroïdes internes. D'autre part, le

tamponnement et le cautère actuel sont des moyens douloureux et dangereux par la gêne des organes voisins, et
l'inflammation qui peut en suivre l'emploi. C'est dans le
but de les éviter, et de s'opposer avant tout à l'hémorragie, que plusieurs chirurgiens modernes, et notamment
MM. Velpeau et Jobert, ont adopté des procédés particuliers d'opération que je vais indiquer. Le premier a imaginé de réunir par première intention les plaies de l'excision des tumeurs hémorroïdales. Pour cela, il fixe au
dehors avec une érigne chaque tumeur à enlever, et il en
traverse la racine avec un nombre suffisant de fils. Il
coupe les tissus au devant des anses de fils avec le bistouri ou de bons ciseaux, et il ne lui reste plus qu'à saisir successivement les chefs de chaque fil pour les nouer,
et faire autant de sutures à points passés. La guérison,
dit-il, est souvent complète du dixième au quinzième jour.
M. Jobert, de son côté, a pensé qu'il serait avantageux
de prévenir l'hémorragie par la ligature de tous les vaisseaux qui donnent du sang au moment même de l'excision; à chaque coup de bistouri ou de ciseaux donné
pour la séparation des tumeurs hémorroïdales, artères
ou veines sont liées successivement, et de cette manière
l'hémorragie est sûrement prévenue. Les observations que
M. Jobert a publiées à l'appui de sa proposition prouvent que, par cette modification, la guérison est prompte,
et que les craintes de phlébite que ces ligatures multiples
avaient pu suggérer théoriquement ne sont pas justifiées
par les faits. M. Lisfranc pratique la torsion des artères.

Doit-on suivre le conseil donné par Hippocrate, de
laisser une hémorroïde de peur de supprimer tout à fait
une perte de sang quelquefois utile? Ætius prescrit au
contraire de les enlever toutes. M. Marjolin est revenu au
conseil d'Hippocrate, et de nos jours cependant la plupart des chirurgiens n'en tiennent pas compte. Peut-être
faut-il, dans chaque cas particulier, se déterminer par la

considération de la cause des hémorroïdes, et celle de l'importunité et de la gravité de leurs accidents. On pourrait alors, ou laisser une hémorroïde, ou chercher par divers moyens à suppléer à un suintement séreux ou sanguin utile. Si on garde une hémorroïde, M. Jobert conseille de préférer le procédé de l'incision.

Burné a signalé une suite bien fâcheuse de l'opération, c'est la persistance de la plaie, sa cicatrisation incomplète, son changement en ulcère rebelle, qui pendant plusieurs mois cause de vives souffrances. Cette persistance me paraît devoir tenir à une cause générale ou à la situation intra-anale du pédicule.

Excision des plis rayonnés de la peau de la marge de l'anus. — Enfin les observations de M. Bérard aîné (*Dictionnaire* en 25 volumes, t. 15) et les miennes (*Bulletin chirurgical*, t. 1, p. 41 et 283) ont démontré que les hémorroïdes internes les plus graves pouvaient être guéries facilement et sans danger d'hémorragie par l'opération simple que Dupuytren employait dans les cas de chute du rectum. Comme ces faits sont peu connus, à en juger par des écrits très récents sur le traitement des hémorroïdes, je vais rapporter deux observations très concluantes, l'une de M. Bérard aîné, et l'autre qui m'appartient.

Première observation. — Un homme âgé de 50 ans avait depuis dix ans des hémorragies par le rectum, hémorragies qui revenaient à des époques régulières; il y avait en même temps un renversement considérable de la membrane muqueuse de cet intestin, entraînée par des tumeurs hémorroïdales internes. Ce renversement s'effectuait à chaque excrétion des matières fécales. La constitution du malade était très affaiblie, et la peau décolorée. On fait une excision de quatre plis radiés de l'anus. Il semblait que la guérison ne dût avoir lieu qu'après la cicatrisation des plaies et le resserrement de l'anus, qui est la conséquence de la perte de substance ; mais, chose remarquable, dans ce cas, comme chez deux autres individus que M. Bérard opéra, le renversement du rectum et l'hémorragie n'ont plus reparu depuis le jour de l'opération.

Deuxième observation. — Pinon (Marguerite), âgée de 42 ans, brodeuse, demeurant rue Neuve Saint-Denis, n° 9 ou 13, entra à l'hôpital Beaujon le 2 novembre 1837. Elle faisait remonter à 15 ans l'apparition d'hémorroïdes internes. A son arrivée à l'hôpital, elle est dans l'état suivant : la figure offre une teinte jaunâtre et une expression de langueur et de souffrance ; il y a diminution de l'appétit et amaigrissement.

La tumeur, après les efforts de défécation, se présente sous la forme d'une masse irrégulière, du volume du poing, lobée, rénitente, et d'une couleur violacée. Elle offre çà et là des ulcérations superficielles. On la trouve constituée en partie par des tumeurs variqueuses, en partie par la muqueuse rectale renversée. Après la réduction, l'exploration avec le doigt fait reconnaître les tumeurs affaissées et revenues en partie sur elles-mêmes.

Je fis l'excision de trois plis rayonnés de la marge de l'anus. Depuis le jour de l'opération jusqu'à celui de sa sortie, 19 décembre 1837, la malade eut plusieurs selles, et, malgré des efforts assez violents, elle ne vit pas ressortir ses hémorroïdes. J'ai revu Marguerite Pinon en février 1840, et plusieurs fois depuis ce temps : la sortie des hémorroïdes ne s'est jamais reproduite. La malade a repris de l'embonpoint, et toutes les apparences d'une santé parfaite.

Sans doute, par cette opération, on ne fait pas cesser tout à coup le sentiment de pesanteur et de douleur que peuvent causer des hémorroïdes internes réduites ; mais on ne doit pas oublier que les accidents des hémorroïdes s'accroissent beaucoup par leur sortie répétée à travers l'anus; c'est ce passage, leur étranglement, la difficulté des réductions, et les douleurs qui les accompagnent, qui rendent l'extirpation indispensable aux yeux de presque tous les chirurgiens. S'opposer à leur sortie, c'est supprimer presque tous les dangers. D'ailleurs les faits sont là, et sont déjà assez nombreux.

Cautérisation. — Quant à l'emploi des caustiques pour guérir les hémorroïdes, je laisserai J.-L. Petit nous dire qu'ils ne pourraient tout au plus être employés que pour les tumeurs externes, petites, crevées ou ulcéreuses, qui ne pénètrent pas plus loin que le bord de l'anus. On pourrait tout au plus dans celles-là en tolérer l'usage ; mais peut-on préférer le caustique, médicament aveugle, qui détruit rarement tout ce qu'il faut détruire, ou qui détruit plus qu'il ne faut ?

Le cautère actuel a été employé plusieurs fois, récemment par M. Bégin, pour la destruction plus ou moins complète des hémorroïdes internes, sans incision ou excision préalable. Il n'est pas douteux que ce moyen ne puisse guérir. La difficulté est de prouver qu'il doit être préféré.

Du varicocèle.

L'étymologie n'indique pas le sens véritable du mot *varicocèle*, puisqu'il ne signifie que tumeur variqueuse, et que l'on confond généralement dans le mot *varicocèle* les varices du scrotum, du cordon spermatique et du testicule lui-même. Quelques modernes cependant appellent varicocèle les varices du scrotum, et cirsocèle celles du cordon testiculaire. Les veines du scrotum sont si petites, et les causes de leur dilatation si rares, que leurs varices, isolées de celles du cordon, sont peu dignes de l'attention du chirurgien. J.-L. Petit en a signalé, toutefois, une espèce particulière assez remarquable : elle occupait la cloison du dartos, sans que les deux testicules fussent atteints. Cette tumeur variqueuse était considérable, et déjetait au dehors les deux glandes spermatiques. Les varices du scrotum sont rares, à cause de sa contractilité, qui aide les veines de cette partie à se débarrasser du sang qu'elles contiennent.

Cependant la flaccidité habituelle du scrotum chez les vieillards ou chez les adultes même, dans les pays équatoriaux, peut rendre chez eux plus fréquent le varicocèle proprement dit. Quant au cirsocèle, ou varices du cordon et du testicule, on le trouve plus fréquemment chez les jeunes gens que chez les vieillards, à cause de l'activité plus grande et abusivement exercée des fonctions génératrices.

Le varicocèle attaque exclusivement l'homme; cependant les femmes offrent quelquefois dans les grandes lèvres des varices, et quelquefois aussi le ligament rond est accompagné d'une ou de plusieurs veines dilatées.

Causes. — Tout ce qui peut gêner la circulation du sang dans les veines du scrotum et du cordon, ou accroître habituellement la quantité du sang qui les remplit, doit être considéré comme cause de varicocèle. Parmi les obstacles locaux et directs, les hernies inguinales, et particulièrement les bubonocèles, les anciens sacs herniaires, les kystes et engorgements du cordon, le gonflement des ganglions lombaires, l'obésité, la compression des brayers, les contusions violentes du cordon testiculaire, si fréquemment suivies d'hématocèles, les hydrocèles volumineuses, les hernies crurales mêmes, quand elles ont un grand volume, peuvent gêner la circulation veineuse dans le canal inguinal.

La constipation et le poids des matières fécales sur les veines spermatiques sont généralement admises comme causes efficientes du varicocèle. L'exercice du cheval sans la précaution de porter un suspensoir, les maladies des reins, les tumeurs du bas-ventre, particulièrement celles de la région lombaire, du foie (J.-L. Petit); les excès vénériens, et surtout la masturbation, sont encore comptés au nombre des causes de ces varices (Breschet). Cela explique pourquoi les jeunes gens en sont plus souvent affectés, et le défaut de coïncidence entre le varicocèle et les varices des jambes indiqué par M. Landouzy.

Il est aussi quelques dispositions anatomiques qui ont une influence favorable à son développement. Ainsi, dit M. Blandin, le plexus pampiniforme représente à l'état normal les dilatations variqueuses du cordon. L'un est comme le premier degré de l'autre; les veines spermatiques manquent de valvules; leurs parois sont faibles; elles suivent un long trajet, plus long à gauche, ce qui entre dans l'explication de la plus grande fréquence du cirsocèle à gauche qu'à droite.

J.-L. Petit a assigné au varicocèle une cause singulière. La réflexion des veines spermatiques sur le pubis lui paraît comparable à celle d'une corde sur une poulie, et il ajoute que plus le testicule est lourd, plus les veines auront une circulation embarrassée. D'après cette idée, la plus grande fréquence du cirsocèle à gauche serait en partie expliquée par le plus grand volume, que M. Cruveilhier a trouvé assez fréquent au testicule gauche; mais je dois faire remarquer qu'alors le varicocèle devrait être une complication presque nécessaire des engorgements chroniques des testicules.

L'hérédité de ces varices a été signalée par M. Blandin, qui a vu trois frères et leur père affectés de varicocèle. Est-ce une simple coïncidence due au hasard? Cela n'est pas probable. Les veines spermatiques droites, dit encore M. Blandin, se jettent assez souvent dans la veine cave ascendante; celles du côté gauche aboutissent à la veine rénale correspondante. Les veines spermatiques gauches suivent donc un trajet plus long; elles sont

aussi de ce côté naturellement plus larges, plus flexueu-
ses, même chez les personnes non sujettes à la constipation; et, lors même que les veines spermatiques s'ouvrent
directement dans les deux veines rénales, celle du côté
gauche se termine en un point un peu plus élevé que celles du côté droit (Blandin). Il est probable que ces particularités anatomiques ont de l'influence sur le développement du varicocèle, et sa fréquence plus grande d'un côté que de l'autre.

Les varices du cordon et celles du scrotum peuvent
être plus ou moins long-temps séparées. Richter plaçait
le cirsocèle dans l'épididyme et le testicule. Il était,
pour la plupart des cas, facile de réfuter son opinion.
Cependant Most a démontré qu'à la longue les veines épi-
didymaires et celles du testicule deviennent variqueuses;
et M. Blandin a vu dilatées d'une manière permanente
celles du testicule qui rampent dans l'épaisseur du péri-
teste, et font saillie à sa surface interne. (*Dictionnaire
de médecine* en 15 vol.)

Le varicocèle s'annonce par une douleur dans les reins,
un sentiment de pesanteur dans le scrotum et le cordon, des coliques fréquentes. Si jusque là on peut douter
de la maladie, elle est évidente lorsque; avec la persistance et l'accroissement de ces symptômes, on peut reconnaître à la vue une tumeur violacée, noueuse, pâteuse au toucher, pyramidale, dont la base coiffe l'épididyme ou descend jusqu'au fond du scrotum, tandis que son
sommet approche de l'anneau, et quelquefois pénètre
dans le canal inguinal, et le dilate, comme j'en ai vu
récemment un exemple frappant. Suivant M. Blandin,
elle se prolonge quelquefois jusqu'à la région lombaire. La peau des bourses est flasque, mamelonnée,
pendante, et descend quelquefois jusqu'au milieu des
cuisses. La tumeur disparaît en partie par la position horizontale, par la pression de bas en haut, par le froid;

elle est en partie réductible à la manière des hernies; mais
les bosselures reparaissent aussitôt sur les points de la tumeur qui ne sont pas comprimés. C'est là en effet un caractère indiqué par Astley Cooper pour la distinguer des
hernies réductibles; la toux ne communique à la varice
qu'une très légère impulsion, qui n'est pas comparable à
celle de la hernie. Cependant, si la tumeur est énorme,
si elle se complique d'ailleurs de hernie, ce qui n'est pas
rare; il faut un peu plus d'attention, sans qu'il y ait de
difficulté réelle.

Souple au début, la tumeur devenue ancienne présente
des duretés qui viennent des altérations successives des
varices, de l'épaississement de leurs parois, et des caillots
qu'elles contiennent. Le varicocèle double et ancien peut,
comme toutes les tumeurs du scrotum susceptibles de s'accroître, acquérir un tel volume que les testicules et la
verge ne puissent plus être distingués. Le testicule, d'a-
bord resté sain, peut s'altérer, diminuer de volume, s'a-
trophier, s'enflammer, se désorganiser, et arriver à un
état qui exige la castration. Son atrophie est indiquée
par Celse.

Il est facile de reconnaître par la position du raphé si
la tumeur n'existe que d'un côté, parce qu'il s'incline du
côté malade. Le diagnostic est en général facile aussi entre le varicocèle et les engorgements du testicule. L'apparence noueuse et violacée de la tumeur, sa souplesse,
ne permettent pas une longue hésitation.

Le varicocèle donne rarement lieu à des accidents très
graves; mais c'est une incommodité continuelle, douloureuse, et qui jette les malades dans une tristesse profonde, accompagnée quelquefois de tendance au suici-
de. Un assez grand nombre de malades cependant sou-
tiennent le scrotum à l'aide d'un suspensoir, se contentant
de quelques applications astringentes, du ep s, et de
la saignée pratiquée quelquefois, et s'occupent peu de

leur indisposition; mais toutes les fois que le varicocèle a pris un développement notable, beaucoup, au contraire, s'en affligent, et recourent au traitement curatif.

Il y a de grandes diversités d'opinions sur le choix des moyens. Richter attribue la maladie au testicule, la regardant comme incurable autrement que par la castration; ce n'est, au contraire, que dans des cas exceptionnels que ce moyen rigoureux peut être employé. Mais beaucoup de chirurgiens, en regardant le varicocèle comme incurable, ne jugent pas sa gravité assez grande pour se décider à quelques opérations telles que la ligature, l'excision des veines spermatiques, et leur compression à l'aide de fils et d'épingles passés au dessous ou au travers du paquet variqueux. Le traitement palliatif était le seul conseillé par Boyer; l'ablation même des veines variqueuses lui paraissait ne pas s'opposer sûrement à la récidive.

Aujourd'hui les avis sont encore partagés. Dans les cas très simples, on est en général assez d'accord de s'en tenir au suspensoir et aux astringents, à de simples précautions hygiéniques. Mais quand le varicocèle est d'un certain volume et douloureux, les uns, parmi les praticiens, regardent encore toute opération comme contre-indiquée par l'innocuité définitive de la maladie, l'incertitude et le danger des moyens chirurgicaux; tandis que les autres n'hésitent plus que sur le choix de ces moyens. Il en est cependant que tous aujourd'hui condamnent unanimement : 1°. la castration, sauf quelques cas particuliers; 2° la ligature de l'artère spermatique. Les procédés ou méthodes entre lesquelles on hésite sont, comme pour toutes les espèces de varice, la ligature des veines, leur ablation, leur compression faite à l'aide d'épingles et de fils, à l'aide d'un ruban de fil et d'un rouleau de linge ou de diachylum; ou enfin par le moyen de pinces particulières, imaginées pour cet usage par M. Breschet. Le séton est aussi une méthode moderne mise en usage par M. Fricke ; mais ce procédé peut passer pour l'analogue de celui de M. Jameson pour l'oblitération des artères.

Une lecture attentive du texte de Celse démontre qu'il conseille (*De ramicis curatione*, lib. VII, cap. XXII.) la cautérisation ou l'excision pour la cure du varicocèle. Paul d'Egine recommande l'incision en long des veines et leur ligature au dessus et au dessous. A. Paré ne fait aucune différence entre le varicocèle et les autres varices. J.-L. Petit a plusieurs fois fait l'excision des veines variqueuses du cordon. Une longue incision depuis l'anneau jusqu'au bas du scrotum permet de mettre à nu le paquet de veines variqueuses ; on coupe alors haut et bas les vaisseaux dilatés. Delpech a mis fréquemment cette méthode en usage. Des succès nombreux ont été, dit-on, obtenus ; mais aussi des accidents graves, et la mort même, en ont été quelquefois la suite. Il paraît que, depuis, Delpech avait reconnu qu'il suffisait de passer et de fixer un corps étranger tel qu'un morceau d'éponge sous les veines variqueuses pour en obtenir l'inflammation extérieure et l'oblitération. M. Warren, dit M. Velpeau, a souvent excisé avec succès le varicocèle. Il est certain que l'on peut guérir cette maladie par la méthode de l'excision ; elle varie peut-être dans ses résultats, suivant qu'on pratique ou non en même temps la ligature des veines. Il résulte des observations de J.-L. Petit que tantôt il emportait le varicocèle sans lier les veines, et tantôt liait le pédicule de la tumeur, et en faisait la section au dessous de la ligature.

On fait aujourd'hui rarement l'excision du varicocèle. Les modifications importantes qui ont été apportées par les modernes au traitement ancien des varices des jambes se sont étendues aux varices du cordon testiculaire. Il est aujourd'hui démontré que plusieurs de ces procédés, qui ont tous pour but d'obtenir l'oblitération des veines et leur transformation en cordons fibreux, portent avec eux moins de dangers que l'incision avec ligature de Paul d'Eginette, et l'excision à la manière de J.-L. Petit, si souvent répétée par Delpech avec de graves accidents, si l'on en juge par le mémoire de M. Franc sur la cure radicale des varices (1835).

La plupart des procédés mis en usage aujourd'hui pour la cure du varicocèle sont employés pour les varices des membres, et tirent même leur origine du traitement de celles-ci. Toutefois, leur emploi dans le varicocèle leur a fait subir quelques modifications. Il en est d'autres, par exemple le moyen de compression employé par M. Breschet, qui n'a été appliqué convenablement que pour le varicocèle.

Le *séton* proposé pour le cirsocèle par M. Fricke peut facilement être adapté aux varices des membres. La seule observation qu'il me suggère en ce moment, c'est qu'il paraîtrait préférable pour des veines isolées que pour des paquets variqueux tels qu'en présente souvent le varicocèle. Toutefois, M. Fricke compte quelques succès immédiats, sans que nous sachions si la récidive est venue les démentir. Cette méthode consiste à saisir une veine recouverte de peau, et à la traverser par une aiguille ordinaire munie d'un fil dont les chefs sont noués ensuite sur la peau. Deux sétons, à quelque distance l'un de l'autre, ont suffi pour obtenir en vingt jours le succès indiqué. En traitant des varices des membres, nous chercherons à évaluer ce procédé en le comparant aux autres opérations.

La ligature des veines testiculaires et scrotales a été faite aussi avec succès. Ici ce n'est point, comme aux membres, des veines isolées qui sont liées; mais la totalité du cordon, à l'exception du conduit déférent et de l'artère spermatique. C'est là une des particularités du traitement du varicocèle, que la ligature ou la compression est faite en masse. Il faut préalablement reporter en arrière et en dehors le conduit déférent¹, si facilement reconnaissable à son volume, à sa résistance, à la douleur que sa pression détermine. Cela fait, et les veines étant rassemblées dans un large pli de la peau, on peut passer derrière les varices, ou une ligature qui sera ensuite liée sur la peau, ou une épingle sur laquelle la constriction du vaisseau sera exercée, à l'aide d'un fil, qui peut lui-même être différemment placé par rapport aux téguments. D'aussi légères différences dans la manière d'appliquer le moyen de constriction, dont l'effet du reste me paraît le même sur les vaisseaux variqueux, pourvu que le degré de compression soit égal, ont excité des questions de priorité assez inutiles à juger; ce qu'il serait facile d'ailleurs de faire par un simple rapprochement de date. Un mémoire de M. Franc, de Montpellier, inséré dans le *Journal des connaissances médico-chirurgicales*, avec des annotations des rédacteurs du journal, rendra au besoin cette tâche très simple. M. Jameson avait proposé, en 1826, le séton à travers les artères; il n'était pas difficile à M. Fricke de proposer un séton à travers les veines. Le but, dans les deux cas était l'oblitération du vaisseau. M. Fricke aurait à nos yeux l'avantage d'avoir fourni, avec le docteur Grosheim, trois observations de guérison du varicocèle par ce moyen. Mais j'ai déjà dit que l'observation de la récidive n'était pas constatée, ce qui est indispensable quand on parle d'oblitérations veineuses.

En 1830, M. Velpeau avait proposé de passer sous les vaisseaux (artère ou veine) une épingle, et de faire sur ses extrémités, en deçà et au delà du vaisseau, un huit de chiffre qui comprendrait dans son étreinte les téguments. Il était bien simple de renouveler cette proposition, et d'y joindre l'effet de l'acupuncture et du séton en passant, comme le fait M. Davat, une épingle sous le vaisseau, et en le traversant, à l'aide d'une seconde épingle, d'avant en arrière et de haut en bas, de manière à la passer en croix

derrière la première épingle déjà passée sous le vaisseau.
M. Davat partait toutefois de la nécessité de piquer la
veine pour déterminer une inflammation adhésive dans sa
cavité. Mais, sauf le manuel assez compliqué de son opération, c'était reproduire l'acupuncture, le séton, et la
compression sur l'épingle, déjà indiqués.

Depuis, M. Franck, qui ne s'occupe du cirsocèle qu'a-
près M. Breschet, puisqu'il critique la compression avec
les pinces, à cause de la douleur qu'elles causent, a pu
reproduire la première idée de M. Velpeau en 1835, ou
reprendre la moitié du procédé de M. Davat (1833), sans
avoir aucun droit à passer comme inventeur.

M. Reynaud, de Toulon, s'est servi, pour le varicocèle en masse, du procédé mis en usage pour la ligature
du plexus brachial en masse, et avec les téguments, qui
forme le premier temps du procédé de Garengeot pour
la désarticulation du bras. Après avoir pris les précautions convenables à l'isolement du conduit déférent, il
traverse la peau et les enveloppes du cordon variqueux
avec une aiguille courbe. Un double fil étant ainsi passé
sous le paquet variqueux, il place sur la peau un rouleau de sparadrap, ou une petite compresse, sur lequel
il fait un nœud serré. Il laisse cette ligature jusqu'à ce
qu'elle ait coupé la peau et le cordon de varices. J'ai vu
le testicule tuberculeux, à la suite de cette ligature faite
par M. Reynaud. L'autre testicule était sain, le cirsocèle
était guéri.

C'est surtout pour ménager les téguments que d'autres
sous-procédés ont été inventés. Le problème était d'embrasser les vaisseaux sans comprendre la peau dans le
huit de chiffre ou dans la ligature. M. Gagnebé, en 1830,
pensa que la méthode sous-cutanée pouvait être mise en
usage.

MM. Velpeau, Ricord, Ratier, ont réalisé cette idée de
diverses manières. M. Velpeau a modifié son procédé de

l'épingle et du huit de chiffre fait sur la peau. Il a com-
mencé par passer l'épingle derrière les veines variqueuses, à l'aide d'une petite incision faite de chaque côté par
la pointe d'une lancette. Cette double et petite incision,
trop grande pour l'épingle seule, servira à conduire *au
devant* des veines un fil ciré double, dont l'anse sera
d'un côté et les chefs de l'autre côté des veines. Dans
l'anse sera engagée une des extrémités de l'épingle, sur
laquelle un point d'appui sera pris ; le plein du fil sera
appliqué sur le paquet veineux, et serré sur lui par les
deux chefs fixés et croisés sur l'autre extrémité de l'épingle. Les varices seront ainsi serrées entre l'épingle et le fil
rendus aussi parallèles que possible. Il faut, je crois, pour
ce procédé, que l'épingle soit forte et grande. Il est évident que la peau placée au devant est ménagée.

Le procédé de M. Ricord est ingénieux ; après avoir
soulevé le paquet variqueux, il passe sous lui un fil double dont les deux chefs ont été engagés dans le chas de
l'aiguille ; il dégage l'aiguille, et par les mêmes trous de la
peau il passe au devant des varices, dans le sens opposé à la première introduction d'aiguille et transversalement, un second fil double. Les deux anses du fil
sont, l'une à droite, l'autre à gauche des varices. Enga-
geant ensuite de chaque côté les chefs libres dans l'anse
du fil et tirant sur les chefs, il fait rentrer les anses du fil
sous la peau, et serre fortement les varices. Il a cru devoir, toutefois, ajouter, pour rendre la constriction plus
forte à volonté, un espèce de serre-nœud en fer à cheval,
qui sert à tendre chaque fil double.

M. Ratier a modifié le serre-nœud de Grœffe, ne le fait
agir que d'un côté ; et l'applique de la manière suivante.
Il engage les deux extrémités d'un même fil métallique
ou de soie dans les chas de deux aiguilles, l'une derrière
les varices, l'autre devant elles, par les mêmes ouvertures
de la peau, avec les précautions déjà indiquées. Il a, de

cette manière, d'un côté des varices, les chefs du fil, de l'autre l'anse de ce fil, qui par la traction simultanée de ses extrémités rentrera sous la peau et étreindra le varicocèle. Le fil est ensuite engagé dans un petit serre-nœud assez fin pour pénétrer dans l'ouverture de la peau.

M. Gigon, d'Angoulême, se borne à tordre le fil sur les vaisseaux embrassés par l'anse, ou arcboute l'un et l'autre chefs séparés sur les extrémités bifurquées d'une petite tige métallique.

Voilà beaucoup plus de détails qu'il n'en faut pour faire concevoir cette méthode sous-cutanée. Pour le cirsocèle, en vingt jours environ les fils tombent, à moins que quelque portion de tissu fibreux ne résiste et n'augmente cette durée.

Faut-il considérer comme méthodes analogues aux précédentes celles qui, agissant à la fois sur les vaisseaux et sur la peau sans ouverture préalable de cette membrane, ont cependant pour but principal bien moins de ménager les téguments que de ne pas léser les parois veineuses, et d'éviter ainsi la suppuration dans leur cavité ? Elles constituent à mes yeux une classe à part : car l'une agit par la mortification des parties comprimées par les instruments, et l'autre a pour but du moins l'adhérence intime des parois veineuses, sans destruction même limitée de ces parois. La première est la méthode de M. Breschet : c'est elle qui de toutes les opérations contre le varilococe a été employée le plus grand nombre de fois, et a donné les guérisons les plus nombreuses. C'est déjà là un fait capital dans l'évaluation définitive de tout procédé opératoire, surtout lorsqu'il s'adresse aux parois veineuses, et qui a l'avantage d'échapper même au contrôle de l'analyse théorique.

C'est l'analogie cependant qui a conduit à cette méthode; elle consiste dans l'application d'une pince composée de deux branches parallèles, dont l'une, mobile, se rappro-

che de l'autre en glissant, à l'aide d'une vis de pression,
sur deux montants fixés perpendiculairement à l'autre.
Elles se rapprochent donc toutes deux sans cesser d'être
parallèles, ce qui assure la pression dans toute l'étendue
des mors de la pince, et a permis de ménager, du côté
de la vis, un espace où se loge le bord du pli des téguments en deçà du varicocèle saisi (modification de M.
Landouzy). M. Breschet avait d'abord imaginé d'autres
pinces moins convenables au but qu'il se proposait. Ses
premiers essais furent faits avec succès sur les veines du
scrotum (varicocèle). Il fallait arriver à comprimer le cirsocèle; il y parvint également, et le succès le plus complet
justifia ses prévisions.

Les varices du cordon ou du scrotum ayant été comprises dans un pli cutané, on engage ce pli entre les
mors de la pince, que l'on rapproche l'un de l'autre, mais
que l'on a préalablement garnis de linge. Il pourrait arriver que dans l'espace où se place le bord arrondi du pli
cutané quelque veine variqueuse se logeât; mais on la comprime fortement en introduisant dans cet espace resté
entre la racine des branches une mèche de charpie qui
exerce une compression exacte.

Il faut que l'instrument reste en place environ 48 heures
au moins; c'est pour ne l'avoir laissé que 15 ou 16 heures
que M. Breschet a vu la maladie ne guérir qu'en apparence, et reparaître peu de temps après la fin du traitement. Une compression légère, qui ne provoquerait qu'u-
ne inflammation adhésive et parfois un peu de suppuration, serait insuffisante, mais deviendrait peut-être nui-
sible, et pourrait donner lieu à la phlébite locale et générale. En exerçant, au contraire, une forte compression,
graduelle cependant, on détermine la mortification des
parties comprises dans la pince, et cette mortification, ainsi
que l'inflammation légère qui l'accompagne, sont bornées
aux surfaces soumises à la compression par l'instrument.

Comme on le voit, le principe de cette méthode est le
même que celui de l'entérotomie faite à la manière de
Dupuytren. En effet, dans cette entérotomie, l'éperon
saisi meurt, et au delà on ne voit que l'inflammation adhésive. Il est vrai que dans le varicocèle on n'a point à sa
disposition une membrane séreuse comme le péritoine ;
mais peut-être que la membrane interne des veines, à ce
degré et suivant ce mode de pression , devient plus facilement le siége de l'inflammation adhésive que lui a
presque refusée B. Travers, malgré l'autorité de Haller ,
Hogdson et Dupuytren.

Les pinces doivent embrasser tout le paquet de veines ;
les extrémités doivent s'approcher assez de la cloison du
scrotum pour tout saisir , sans crainte d'atteindre le conduit déférent, ni l'artère spermatique , qui, liée à ce
conduit, l'accompagne dans tous ses mouvements. Il ne
faut pas non plus que les mors de la pince compriment
la peau de la racine de la verge, à cause de son usage
dans les érections.

On procède ensuite à l'application d'une seconde pince
inférieure, à 2 ou 3 centimètres au dessous de la première, en prenant garde toutefois de pincer la tunique
vaginale, ce qui est au moins inutile. La circulation veineuse se rétablit parfaitement, dans ce procédé comme
dans les autres , au moyen des nombreux ramuscules qui
constituent les plexus péniens , vésico-prostatiques , et
leurs anastomoses.

La modification que M. Landouzy a apportée à la con-
fection de la pince , et dont l'effet, comme je l'ai dit, est
de pouvoir loger le bord arrondi du pli cutané qui comprend les veines variqueuses, a eu l'avantage de diminuer
la longueur du traitement , de là cicatrisation de la plaie,
en conservant un pont de peau entre les deux lèvres de
la solution de continuité, qui s'écartaient surtout par le
poids du testicule, attirant en bas la lèvre inférieure, et

par les érections, qui portaient en haut la lèvre supérieure de la plaie. Une autre modification de l'instrument, faite aussi par M. Landouzy, c'est l'addition de
deux petites plaques, qui, s'abaissant au moyen d'une
vis, donnent aux branches une longueur suffisante pour
la compression totale des veines. Suivant lui, en effet, on
ne peut savoir d'avance quelle largeur les branches devront avoir.

Les chirurgiens anglais pratiquent quelquefois pour le
varicocèle l'excision partielle du scrotum. Astley Cooper
conseille cette opération, l'a pratiquée plusieurs fois, et
elle est encore en usage parmi ses élèves. Elle a sans
doute pour principe la pensée de faire, pour ainsi dire un
suspensoir naturel étroit et plus compressif; mais la récidive a lieu, ou plutôt le varicocèle persiste après cette
opération, dont la proposition même paraît surprenante
a priori, quand on songe avec quelle facilité, dans les
grandes pertes de substance des bourses par gangrène,
la peau des environs est attirée pour les combler. N'est-
il pas évident que bientôt les téguments du scrotum cé-
deront à la distension produite par les varices volumineuses qu'on veut guérir?

Je trouve dans les *Annales de la chirurgie française
et étrangère* (t. 2, 1ʳᵉ année) une observation extraite
d'un journal américain, qui suffit pour faire juger de la
valeur pratique de l'excision du scrotum pour la cure du
varicocèle.

Opération du varicocèle, par John Watson, chirurgien de l'hôpital
de New-York.

John Pierce, âgé de 21 ans, marin, fut admis à l'hôpital le 23 juin, pour être traité d'un varicocèle très volumineux du côté gauche. Le lendemain de son entrée,
on opéra le malade par le procédé suivant : on saisit avec

les doigts autant de peau du scrotum qu'il fut possible de prendre, en ayant soin d'éviter les veines; on embrassa ensuite avec des pinces la peau ainsi soulevée, et à l'aide d'un bistouri on enleva tout le repli cutané. La partie enlevée comprenait un bon tiers de la peau du scrotum, et la rétraction qui suivit ce retranchement fut tellement marquée, que la tunique vaginale du côté gauche restait à découvert. On eut beaucoup de peine à réunir les deux lèvres de la peau rétractée; pendant les premiers jours le malade allait bien, et quoique la réunion ne se fît pas par première intention, les parties cependant se sont rapprochées, et la plaie devint granuleuse, bourgeonnée. Le 1er juillet le malade fut pris de frisson, de vomissement, de nausées suivies de fièvre, d'une excitation générale, et enfin d'un érysipèle, qui envahit toute la peau du scrotum, du pénis, se prolongea aux parties adjacentes, et se compliqua de suppuration du tissu cellulaire. Des contre-ouvertures faites sur le pénis donnèrent issue au pus accumulé; au fur et à mesure que l'érysipèle diminua, la place de l'opération se rétrécit, et diminua aussi de plus en plus. Le 20 juillet, la plaie est complétement guérie. Le malade sortit alors de l'hôpital le 4 août. La cicatrice formée par la plaie est suffisante pour soutenir les vaisseaux dilatés et les empêcher de se dilater au dessous de l'anneau inguinal. Pendant que le malade avait été couché, le gonflement produit par la dilatation des veines semblait avoir disparu; mais il est de nouveau revenu, quoique moins volumineux, et le malade cependant n'éprouve plus autant de peine et d'incommodité qu'il en éprouvait auparavant.

En résumé, le varicocèle ne doit être traité par l'opération que dans les cas où il constitue une véritable infirmité. L'excision, dans la plupart des cas, me paraît devoir être rejetée; elle ne convient peut-être qu'avec la castration, lorsque celle-ci est indiquée.

Les méthodes sous-cutanées sont préférables à toutes

celles dans lesquelles on fait une incision, même pour la ligature. Chacune de ces méthodes compte en sa faveur un certain nombre de guérisons, dont il serait cependant difficile de donner aujourd'hui les chiffres, même d'une manière approximative. En effet, dans les évaluations vagues qui ont été données çà et là dans quelques recueils, il est visible que souvent on a réuni dans le même chiffre les guérisons des varices des jambes et celles du varicocèle, d'après cette raison simple que la méthode d'opération avait été la même. La méthode de M. Breschet, dont l'usage, comme nous le verrons, a cependant été étendu aux membres, a donné des résultats, si je puis dire ainsi, mieux isolés. Dans le compte-rendu qu'il a fait de sa méthode pour le varicocèle seul à l'Académie de médecine, il a annoncé une soixantaine de succès; et, si je ne me trompe, M. Landouzy en a depuis compté plus de cent.

Varices des membres.

J'ai déjà dit que les varices des membres supérieurs étaient rares, cependant il n'est pas de praticien qui n'en ait vu et traité. J'ai récemment fait la cautérisation d'une varice de la partie antérieure de l'avant-bras, occupant une partie de la veine cubitale, chez une demoiselle de vingt ans, qui n'en porte point aux jambes. M. Velpeau a vu deux fois les bras, les avant-bras et les mains, couverts de bosselures variqueuses. Mais ce sont surtout les troncs des veines saphènes externe et interne qui en fournissent des exemples. Il arrive cependant que chez certains sujets les veinules de la peau des membres inférieurs offrent une dilatation très marquée, sans que celle des saphènes soit très apparente; mais en général c'est le contraire. Des deux saphènes, c'est l'interne qui est le plus souvent siège de varices, et elles sont plus fréquentes à la partie interne de la jambe depuis la malléole interne jusqu'au genou. Sa portion crurale est ensuite la plus fréquemment malade, et enfin ce sont ses branches d'origine. Il y a des individus chez lesquels le bord interne du pied, le coude-pied, sont parsemés de bosselures qui n'acquièrent presque jamais le volume des varices de la jambe, mais qui cependant, à cause de leur nombre, sont plus difficiles à guérir. Enfin, il arrive souvent que le même individu a le pied, la jambe, la cuisse, le jarret, sillonnés de varices, interrompues dans leur trajet sinueux par des masses arrondies, que l'on a comparées, quand la peau est très amincie, à des amas de vers, de sangsues, ou à des intestins de chat ou de fœtus; à des grains de raisin (*vitis*), etc. C'est principalement dans cette phlébectasie que M. Briquet a remarqué sur chaque côté des vaisseaux une bande longitudinale, où il est aminci, transparent, répondant à des espèces de gouttières, ou se voit une suite de petits enfoncements, ou godets séparés par des lignes rentrantes, saillantes, et transversales comme dans les gros intestins. La membrane moyenne forme alors deux faisceaux longitudinaux : l'un vers la peau, l'autre répondant à l'aponévrose. Les valvules sont tantôt élargies, tantôt allongées, et plus tard déchirées. Il a vu aussi alors les parois des veines coriaces ou molles, rougeâtres, imbibées de sang, analogues à la chair musculaire, et dans leur intérieur des caillots blancs, filiformes, très solides, en pelotons ou en spirales, et plus d'une fois peut-être pris pour des vers connus sous le nom de dragoneau. Dans la position horizontale, les tumeurs s'affaissent, et la peau prend à peu près sa couleur naturelle; mais lorsque le malade est debout, le membre se gonfle, devient rouge foncé, puis bleu; le pied, tuméfié, semble s'aplatir, et son bord interne, gonflé, touche le sol comme dans le pied plat; le bas de la jambe perd sa forme évidée, devient presque cylindrique, quand les deux gros troncs superficiels et leurs branches sont envahis, sinon c'est le plus souvent la face interne qui offre des cordons bleuâtres, ou des tumeurs volumineuses un peu au dessus de la malléole interne, et au dessous du genou vers l'attache du couturier. Quelquefois, cependant, la saphène interne n'est pas ou est peu variqueuse, et la saphène externe offre au contraire en dehors et en arrière de la jambe de volumineuses bosselures ; mais le contraire est plus fréquent. On voit aussi une seule jambe prise.

C'est aux jambes que les ulcères variqueux sont le plus fréquents, et leur siége de prédilection est la partie interne et inférieure de cette partie.

Les ulcères, que je n'indique ici que comme symptômes, n'ont pas toujours des dimensions en surface et en profondeur en rapport avec la grosseur des varices. Certains individus ont de très grosses varices, très nombreuses, et pas d'ulcères ; d'autres au contraire n'ont qu'une seule veine variqueuse, et un ou deux ulcères plus ou moins larges. On ne les voit pas non plus toujours sur le trajet direct de la veine affectée ; un ulcère existe à la partie interne de la jambe, au dessus de la malléole, et c'est la saphène externe qui est variqueuse. J'ai vu le contraire plusieurs fois.

La plupart des observateurs ont remarqué que la guérison des ulcères suivait avec une rapidité notable la cure des veines variqueuses ; mais le contraire a été soutenu aussi, et je pourrais citer l'un de nos juges, dont l'opinion formelle est que l'oblitération des veines variqueuses est de nulle influence sur la cicatrisation des ulcères, car il a vu ceux-ci se guérir d'eux-mêmes par le repos, et reparaître après l'oblitération des veines et avant la récidive des varices, qu'il regarde comme infaillible quand les veines sont volumineuses. Quant à la reproduction de l'ulcère avant le retour des varices, il pense pouvoir l'expliquer par la gêne que le sang éprouve à passer d'un tronc volumineux dans les capillaires, où la marche de ce fluide est ralentie. Ne peut-on pas répondre, avec la majorité des chirurgiens, que, si le repos peut gué-

rir seul les ulcères variqueux, comme la marche les a-
grandit, il est d'observation qu'eu égard à leur étendue,
la guérison est plus rapide aussitôt que le tronc veineux
voisin variqueux a été oblitéré, et que leur réapparition
avant que la récidive des varices ne soit évidente est
une preuve qu'une distension nouvelle du tronc veineux
va avoir lieu? N'est-ce pas là un signe précurseur de
récidive? ce qui laisserait toujours évident un rapport entre l'état des ulcères et des veines variqueuses.
A la longue, la marche et même la station debout deviennent impossibles. Aussi les varices des membres inférieurs sont-elles un motif d'exemption du service mi-
litaire; l'inaction prolongée à laquelle elles condamnent
des hommes encore dans la force de l'âge est une raison
aussi pressante que les douleurs qu'elles causent, pour
songer aux moyens de diminuer par le traitement palliatif, ou de faire cesser, s'il était possible, toute incommodité par une opération convenable.

Indépendamment des moyens généraux déjà indiqués,
le traitement palliatif consiste ici dans la position horizontale, la compression des membres par le bandage de
Théden, par des bas de peau de chien, des bas lacés
de peau ou de coutil, suivant la saison. Il faut s'en tenir
là si l'incommodité devient supportable par ces moyens,
sinon on peut songer à l'oblitération des varices. Les
anciens avaient des procédés opératoires véritablement
cruels. Ils employaient rarement une opération simple; presque toujours ils combinaient plusieurs opérations ensemble: l'incision de la peau et de la veine, sa
double ligature, sa section intermédiaire, l'arrache-
ment, la cautérisation avec le cautère actuel après l'incision de la peau, et quelquefois du vaisseau. Peut-être
cette complication de moyens chirurgicaux venait-elle de
la crainte d'une récidive qu'ils savaient fréquente. Les
modernes ont modifié ces opérations, et en ont rendu
quelques unes, la ligature par exemple, moins dange-

reux. La cautérisation par les caustiques, déjà indiquée par A. Paré, Guillemeau, etc., a subi aussi des modifications notables. Nous entrerons plus bas dans les détails les plus indispensables de ces méthodes ; mais il me paraît utile, avant, d'examiner les chances de succès que peuvent avoir de pareilles opérations dans les varices des membres inférieurs. Ce sera un moyen de se rendre compte de la différence d'opinions qui existe entre les chirurgiens au sujet de ces opérations.

Les opérations, quelles qu'elles soient, ne peuvent avoir en vue, pour être efficaces, que l'oblitération d'un ou de plusieurs troncs veineux affectés de varices, ou recevant immédiatement le sang des veines variqueuses. En effet, la ligature, l'excision, la compression immédiate ou médiate, etc., s'adressent, soit au tronc commun où se rendent les veines affectées, soit à ces vaisseaux mêmes.

Une question préalable est celle-ci : Des varices existant aux membres inférieurs (je ne parle pas des membres supérieurs, parce que des raisonnements analogues peuvent y être appliqués), est-il possible d'en débarrasser le malade sans crainte de récidive ?

M. Huguier, dans une thèse de concours, a traité avec talent cette question par des considérations anatomiques; il a démontré que les veines du membre inférieur, surtout la saphène interne, communiquent trop souvent avec les veines profondes pour qu'il soit possible d'avoir contre la récidive une garantie suffisante (1).

---

(1) Les veines superficielles rapportent le sang des orteils, de la peau et du tissu cellulaire sous-cutané. La veine externe ne communique avec les veines profondes qu'au dos du pied et derrière la malléole externe. Il n'en est pas de même de la saphène interne, qui a de nombreuses communications avec les veines profondes au pied, à la jambe et à la cuisse. Ainsi au pied elle communique avec la veine plantaire interne; à la jambe elle communique en dedans et en arrière avec la veine tibiale postérieure. On voit plusieurs de ses branches traverser l'insertion du muscle soléaire au tibia, et se rendre dans cette veine tibiale postérieu-

²⁰ Dans 'le plus grand nombre'des cas, on ne peut donc avoir qu'une guérison temporaire, quelquefois même il n'y a aucune modification¹ des veines 'variqueuses: E. Home a vu les varices s'accroître après l'opération. Les collatérales ramènent le sang dans le¹ tronc variqueux, dont on a tenté l'oblitération; elles-mêmes, qui se char-

---

re. En avant et en dehors, une ou plusieurs grosses branches traversent l'aponévrose, passent entre les muscles antérieurs de la jambe, et se terminent dans la veine tibiale antérieure. A la cuisse, à deux ou trois pouces au dessus du genou, il y a toujours des branches profondes variables sous le rapport du volume et du nombre, et qui font communiquer ensemble la saphène interne et la crurale. Il y en a d'autres enfin à la partie supérieure. Quand on fait attention à ces dispositions anatomiques, il est facile de se rendre compte du résultat de la ligature des saphènes. En effet, on comprend que les anastomoses du pied placées au dessous du point où siégent ordinairement les varices, sont utiles dans cette opération en permettant au sang de se porter des veines superficielles dans les profondes, sans passer par les veines dilatées, mais que les anastomoses de la jambe placées au niveau et au dessus des varices, nuisent à son succès, car elles favorisent la circulation collatérale, et permettent au sang de passer des veines variqueuses dans les veines profondes. La circulation continue, l'oblitération qu'on s'était proposée d'obtenir n'a pas lieu, le résultat est absolument le même à la cuisse.

Quand la veine saphène interne est arrivée au niveau du genou, elle forme ordinairement un seul tronc, provenant de la réunion de ses diverses branches; elle remonte le long de la face interne de la cuisse jusqu'à l'ouverture du canal crural, après avoir reçu deux branches venant de la cuisse, l'une antérieure et externe; l'autre postérieure et interne. Souvent on rencontre deux veines saphènes internes marchant parallèlement l'une à l'autre jusqu'à ce qu'elles se plongent dans la veine crurale. M. Cruveilhier a même vu trois saphènes internes; l'une était formée par les veines du pied et de la partie interne de la jambe, l'autre par celles du genou et de la région antérieure de la cuisse, et la troisième celles de la partie postérieure de cette région. Ces trois veines saphènes venaient s'ouvrir isolément dans la veine crurale. On conçoit facilement que, si on avait lié un seul de ces troncs sur un individu atteint de varices, on n'aurait pas interrompu la circulation. M. Huguier a vu à la jambe la veine saphène interne formée de deux branches égales qui se gent alors du cours du sang, peuvent être plus ou moins disposées à l'état variqueux. Trop souvent l'amélioration apparente est entièrement due au repos, au régime, que l'on fait observer aux malades opérés, et aussitôt qu'ils reprennent la position verticale, les varices recommencent à reparaître soit dans les mêmes troncs, soit dans les veines voisines. Quelquefois cependant il y a un a-

réunissaient au niveau du condyle interne du fémur, pour se séparer de nouveau et ne plus se réunir qu'à quelque distance de l'ouverture inférieure du canal crural. C'est une disposition que M. Cruveilhier a également observée.

Quelquefois les branches crurales antérieure et postérieure naissent de la jambe, s'anastomosent avec les rameaux jambiers de la grande saphène elle-même, ainsi qu'avec les rameaux supérieurs de la veine saphène externe avant sa terminaison. Sur d'autres sujets on voit naître de la partie antérieure et supérieure de la jambe une grosse branche que M. Huguier a nommée *tibio-fémorale*, et qui, étant arrivée à la partie interne du genou, se place au devant de la saphène interne dans laquelle elle se jette à quatre ou cinq pouces de l'articulation tibio-fémorale. Ce même anatomiste a vu la veine saphène externe, parvenue au creux du jarret, se diviser en deux branches égales, dont l'une allait se jeter dans la poplitée, et l'autre remontait le long de la partie postérieure de la cuisse, puis se contournait en dehors, pour arriver à la région antérieure de ce membre, et se jeter ensuite dans la saphène interne à un demi-pouce de sa terminaison.

Ces anastomoses sont un obstacle presque insurmontable à l'interruption de la circulation, quand on a lié la saphène interne. Elles expliquent très bien les récidives, après une guérison plus ou moins longue, ou bien la persistance de la maladie qui n'éprouve aucun changement, ou même son augmentation.

Les valvules placées à la face interne des veines sont moins nombreuses dans la portion jambière de la saphène interne que dans sa portion crurale. Cette disposition facilite le rétablissement de la circulation entre elles, la saphène externe et les veines profondes.

N'a-t-on pas d'ailleurs observé très souvent l'oblitération des troncs veineux principaux du membre inférieur, de la veine iliaque externe, de la crurale, etc.? Cependant la circulation s'était toujours continuée sans trouble à l'aide des anastomoses. (Huguier, *Thèse de concours*, 1835.)

mendement notable dans les varices du membre, et cela
dure quelques mois, quelques années.

Chez plusieurs malades de M. Bonnet, la guérison s'é-
tait maintenue quatorze mois, deux ans et demi. D'autres
méthodes que la sienne ont pu avoir des résultats favora-
bles, mais il n'en est point qui évite sûrement la récidive.

La durée de la guérison dépend, au reste, de la longueur de l'oblitération du vaisseau, et cette longueur
est variable, suivant le nombre des intersections de la
veine par les opérations. Plusieurs oblitérations auront
donc en général plus de chances qu'une seule. La longueur de l'oblitération tiendra aussi à l'étendue de la
phlébite adhésive et de la transformation de la veine en
cordon fibreux, circonstance variable et individuelle.

1° *Oblitération des veines*. — On sait que les veines peuvent être oblitérées spontanément; le sang peut s'y arrêter, s'y coaguler, boucher en tout ou en partie leur calibre. La circulation y est alors gênée ou arrêtée. Quand
l'oblitération est encore récente, on trouve la veine obstruée par une masse de fibrine décolorée : c'est là une
des formes de la phlébite adhésive. A la longue, la veine
se transforme en cordon fibro-cartilagineux. Quand cette
obstruction se produit dans la veine principale d'un membre, chacun sait, d'après les belles remarques de M. le
professeur Bouillaud, qu'une hydropisie locale a lieu; le
membre s'œdématie, au moins pendant un certain temps.
J'ai vu cet œdème disparaître après quelques semaines;
mais la veine était restée obstruée, et son obstruction
avait été aiguë, accompagnée d'une douleur locale très
vive, coïncidant avec la formation de l'œdème aigu sans
aucune rougeur de la peau. Le procédé du professeur
Samson tend à une oblitération de ce genre par formation
d'un caillot sans pus; mais la plupart des autres procédés, qui attaquent plus fortement les parois veineuses, ne
produisent pas seulement ce mode d'oblitération.

Au sein des veines, dit M. Andral, comme dans toute partie vivante, peut s'épancher cette matière plastique susceptible de se coaguler et de s'organiser, qui, s'étendant en membrane ou se condensant en masse amorphe, paraît l'origine d'un si grand nombre de produits morbides. Dans les veines, on trouve cette matière plastique déposée : 1° à leur surface extérieure, ce qui peut produire l'adhérence de la veine avec les parties qui l'entourent ; 2° dans l'épaisseur même des parois du vaisseau ; 3° a l'intérieur de sa cavité. Lorsque dans cette cavité une ligature ou toute autre cause a interrompu le cours du sang, la matière plastique s'organise, et la cavité du vaisseau finit par disparaître ; mais quelquefois cette oblitération n'est que temporaire.

Permanente, elle tient à l'épaississement des parois de la veine, à la fibrine, à la lymphe coagulable, qui en remplissent la cavité, et à la transformation fibreuse que la veine peut subir. Temporaire, elle était due à l'existence de caillots, qui d'abord ont rempli son calibre et bouché même les orifices des collatérales, mais qui, n'ayant pas contracté des adhérences solides avec les parois, diminués de volume par absorption, déplacés peut-être par le mouvement circulatoire supplémentaire qui s'est établi, ont fini par n'être plus un obstacle durable au retour du sang, et quelquefois par disparaître.

Le chirurgien qui croit à la possibilité de guérir les varices des membres, ou qui a l'espoir du moins de soulager son malade, doit s'occuper aussi d'une autre question fort importante ; et se demander quelle est aujourd'hui la méthode d'opérer les varices la moins dangereuse, celle qui éloigne le plus possible les risques de mort, dont aucune peut-être n'est complétement dégagée. Chacun convient de la gravité de la plupart des opérations pratiquées sur les veines ; mais, parmi les chirurgiens qui ont cherché à résoudre la question importante du choix à faire entre elles, la plupart restent encore indécis, et, dans cette indécision, les uns les proscrivent en masse,

sauf quelques cas rares d'exception, les autres adoptent
telle ou telle méthode, sans être entrés au préalable assez profondément peut-être dans la question, que j'ap-
pellerai, si on veut, *de léthalité*, pour les opérations des
varices. Il y a cependant quelques principes posés à cet
égard : ainsi il est aujourd'hui convenu que les méthodes
sous - cutanées donneront lieu à moins de risques. Si on
fait une incision de la veine, une ligature, on admet assez généralement qu'elles sont moins graves par la métho-
sous-cutanée ; toutefois, la nature même des veines pose
des limites aux espérances conçues à cet égard.

Une veine coupée sous la peau verse du sang dans le
tissu cellulaire ; le section ou une ligature faites sur une
veine intéressent assez les parois de ce conduit pour que
leur lésion l'emporte encore sur l'avantage de moins lacé-
rer ou dénuder le tissu cellulaire et de ménager la peau.

En résumé, il y a toujours au fond de toutes ces opérations une ou plusieurs veines attaquées, et de là tous
les dangers courus par le malade. Il en résulte que la
distinction à faire entre ces opérations porte sur la manière dont elles attaquent les veines ; et sur le rapport qui
existe entre leur mode d'action et les altérations du vaisseau, suivies de chances différentes d'accidents. Nous
avons rappelé les expériences de Travers et de Liston sur
la ligature des veines, elles nous ont montré la tunique
interne seulement plissée, la tunique externe coupée, la
partie inférieure de la veine remplie d'un caillot bientôt
adhérent, la partie supérieure vide et revenue sur elle-
même ; à l'extérieur du vaisseau de la lymphe coagulable,
mais peu ou point dans son intérieur. Au vingt-cinquième
jour, même après la section du vaisseau, l'inflammation
n'est encore qu'extérieure. Suivant Liston, par la ligature, l'inflammation des bouts de la veine ne commence
qu'au moment où le fil cause l'ulcération. En est-il de
même chez l'homme ? les accidents de la phlébite se montrent souvent plus tôt. D'autre part, M. Davat croit l'acu-

puncture nécessaire pour produire l'inflammation adhésive; il parle aussi d'expériences faites sur les animaux.
Mais en même temps que la phlébite adhésive est produite, il ne faudrait pas que du pus ou de la sérosité purulente pût donner lieu à l'infection du sang. En dépit des
expériences faites sur les animaux, ces terribles accidents se montrent, que l'on traverse la veine par un séton, par une épingle, qu'on la serre dans une ligature,
ou qu'on l'étreigne entre un fil et une épingle. Parmi les
malades, les uns échappent aux dangers de la phlébite,
et ne guérissent pas sûrement de leurs varices, les autres
succombent plus ou moins rapidement. La proportion
des morts, mal connue peut-être, est toujours effrayante
quand il s'agit d'une maladie qui n'était pas mortelle par
elle-même, et qui le devient par l'opération destinée à
la guérir ; opération inhabile même à obtenir ce résultat.
- Si la chirurgie persiste à tenter l'oblitération des veines
dans le but de guérir les varices, existe-t-il des opérations
dont l'action sur les veines soit moins dangereuse? L'a-
ction de la pince de M. Breschet est certainement différente des autres actions mécaniques sur le tissu veineux,
à en juger par le nombre de ses succès dans le traitement
du varicocèle. Cette différence dans l'effet produit sur les
veines tient-elle à l'interposition de la peau et de linge
entre la veine et les mors de l'instrument, à ce que la
membrane moyenne n'est pas d'abord coupée comme dans
la ligature, à ce que ce mode particulier de pression favorise l'inflammation adhésive? Je crois que pour éclaircir
cette question il faudrait se livrer à des expériences com-
paratives. Et la cautérisation potentielle, autre mode
d'action sur les veines, comment expliquer ses succès
nombreux? ·   · · · · ·   · · · · ·   · · · · ·   · · · ·

   J'ai tenté cette explication, comme on le verra, par
l'isolement où le caustique place la portion du vaisseau
attaqué. Qu'y a-t-il de particulier dans sa manière d'agir?
On voit combien de questions à résoudre; mais l'avenir

des opérations sur les veines est évidemment, à mon sens du moins, dans des études faites sur le mode d'action des moyens chirurgicaux sur le tissu même de ces canaux. Jetons maintenant un coup d'œil rapide sur les diverses opérations opposées aux varices des membres. Ce que nous avons dit précédemment nous dispensera de longs détails, auxquels nous n'avons pas d'ailleurs le temps de nous livrer.

L'*incision* peut ici encore se réduire à une simple ponction. Hippocrate la conseillait dans quelques cas et avec un instrument très acéré. Toutefois, il craignait l'ulcère, qui, suivant lui, pouvait en résulter lorsqu'il y avait varice; de sorte qu'on peut douter qu'il l'ait prescrite réellement dans ce cas.

Avicenne décrit avec netteté l'incision telle que J.-L. Petit l'a pratiquée depuis.

A. Paré, Guillemeau, Fabrice de Hilden et Fabrice d'Aquapendente, employèrent la ponction ou l'incision, mais après avoir préalablement placé la varice entre deux ligatures. Le dernier rejetait l'excision et la cautérisation par le fer rouge. Dionis admet aussi l'incision, mais suivie de la compression, faite, entre autres moyens, avec une plaque de plomb.

J.-L. Petit, très partisan de la saignée, et surtout de l'incision des varices, conseille de faire cette incision assez grande pour en tirer ce qu'il appelle le sang grossier, c'est-à-dire coagulé, et de faire cette incision en divers endroits, si le sang grumeleux a trop de difficulté à sortir. On n'a pas besoin, dit-il, de ligature du membre, comme dans la saignée ordinaire, et cependant le sang sort avec impétuosité; il est quelquefois difficile de l'arrêter. Il saignait les varices dans le traitement des ulcères variqueux. Il faut, d'après lui, s'éloigner le moins possible de leur circonférence; il a guéri par ce moyen, aidé du repos et du régime, des ulcères variqueux qui duraient depuis plus de trente ans.

Ces saignées locales avaient l'avantage de faire cesser la tension, la douleur des varices. Elles étaient, suivant J.-L. Petit, à peu près indispensables dans les tumeurs variqueuses résultant des replis des veines dilatées, toutes les fois que le sang y était accumulé et coagulé de manière à rendre impossible l'espèce de *réduction* de ces tumeurs, que les malades ou le chirurgien obtiennent par le repos, les émollients, et des pressions convenables exercées avec la main.

Ces saignées arrivent par rupture ou accident dans quelques varices internes (vessie), mais ne peuvent pas, je crois, être conseillées comme moyen thérapeutique.

L'*incision plus étendue* des veines ou des paquets variqueux a été employée par M. Richerand, et, à son exemple, par Béclard, Brodie et M. Velpeau; elle avait, dans ce procédé, pour but de vider largement la veine et de l'oblitérer. J'ai vu des cicatrices, résultant de ces incisions, qui avaient 7 à 8 pouces de long. M. Richerand remplissait la plaie de charpie, et appliquait un bandage roulé. On a tenté aussi la réunion après ces larges incisions; mais on a renoncé à cette opération, à cause des accidents graves de la phlébite.

Section transversale.—Brodie y a substitué l'incision transversale sous-cutanée, après avoir renoncé lui-même à cette incision transversale des varices qui comprenait la veine et les téguments. Il proposa, pour son incision sous-cutanée, de ponctionner la peau sur l'un des côtés du vaisseau variqueux, à l'aide d'un bistouri droit, pointu, légèrement recourbé sur le tranchant; il le fait ensuite cheminer entre la veine et la peau jusqu'au côté opposé, et, tournant le tranchant du bistouri vers la varice, il l'incise transversalement en le retirant. On ferait peut-être mieux ce procédé en introduisant le bistouri à plat derrière la veine. Du sang s'épanche en assez grande quantité au dehors, et malheureusement aussi dans le issu cellulaire sous-cutané; circonstance qui, jointe à la piqûre de la peau, favorise l'érysipèle phlegmoneux. On a renoncé aujourd'hui à cette méthode ; mais elle a été bien des fois expérimentée. Le premier procédé de Brodie, consistant dans l'incision transversale de la veine et des téguments, a souvent été pratiqué par M. Velpeau à l'hôpital Saint-Antoine et à la Pitié. Il a observé plusieurs cas de phlébite ; il est vrai que le mode de pansement employé pour s'opposer à la réunion immédiate et à celle des bouts de la veine était aussi une cause des accidents. On remplissait les diverses plaies ainsi produites par des boulettes de charpie, puis on appliquait des plumasseaux enduits de cérat et un bandage roulé.

Résection des extrémités de la veine coupée en travers. — MM. Ricord et Lisfranc, ayant fait la remarque que les varices coupées en travers avec la peau ne se rétractaient pas sous les téguments et restaient exposées à l'air, à l'introduction duquel M. Lisfranc attribue une phlébite rapide, ont proposé de réséquer une partie de ces bouts béants ; mais cette modification n'a pas suffi pour faire adopter une méthode déjà abandonnée par son auteur, M. Brodie.

L'*excision* des varices était fort pratiquée par les anciens ; c'est l'un des procédés décrits par Celse, particulièrement dans le cas de tumeur variqueuse formée par les replis de la veine. Galien, qui n'était pas en général partisan des opérations sur les varices, parce qu'il les regardait comme utiles à la santé, et leur suppression comme suivie d'atrabile, de folie, pleurésie, douleurs de reins, flux hémorroïdal et crachement de sang, d'apoplexie et anasarque, indique cependant comme utile la saignée de la varice, *qui peut la guérir*, et l'excision entre deux ligatures pour prévenir l'hémorragie par rupture de la veine dilatée. Ætius, Paul d'Egine, A. Paré, J.-L. Petit, et la plupart des modernes, ont adopté ce procédé, et on le trouve conseillé encore de nos jours pour la destruction des masses variqueuses dont les branches ou tronc d'origine s'enfoncent immédiatement dans une cavité voisine. On peut donc en général s'en dispenser aux membres, à cause des dangers qu'elle présente, et parce qu'elle peut être remplacée par des procédés moins nuisibles.

La *ligature* n'était chez les anciens qu'un procédé accessoire; celle du tronc veineux où se rendent les varices, mais faite à une certaine distance, à la partie supérieure et interne de la jambe ou inférieure de la cuisse, était fort en vogue il y a une quinzaine d'années. Proposée par Everard Home, elle fut préconisée et faite en France par Béclard, mise en usage par Dupuytren et presque tous les chirurgiens, jusqu'à la découverte des moyens de ligature sous-cutanée. Plus tard, E. Home fit deux ligatures et la section de la veine dans leur intervalle. La manière la plus simple de la pratiquer était de mettre la veine à nu, de passer sous elle un stylet aiguillé muni d'un fil de soie, et d'en lier les deux bouts sur la veine. Béclard coupait la veine au dessus de la ligature; quelquefois il ouvrait d'un seul coup la peau et la veine, liait le bout inférieur, et faisait la réunion immédiate.

Certes, cette ligature est un procédé fort simple. Suivant M. Briquet, Béclard n'a observé d'accident grave que sur deux opérés sur soixante. Dupuytren l'a employé de la même manière d'abord; mais il a observé des accidents, et ne paraît pas avoir eu de notables succès dans la guérison des varices. Il avait fini par adopter une double ligature, l'une au dessus des varices, l'autre au dessous d'elles, dans les environs de la malléole. Degouey s'était bien trouvé de lier le tronc veineux au dessous des varices. Lombard avait fait aussi la ligature au dessous des varices, avec une aiguille courbe passée sous la veine; il liait la veine sur une compresse, puis ouvrait la varice et la vidait. La ligature faite suivant la méthode d'Everard

Home, avait l'inconvénient de mettre la veine à nu dans une assez grande étendue, de la soumettre à une constriction violente, de laisser dans la plaie un corps étranger qui irrite les parties voisines. Suivant Brodie, l'excision sans ligature n'avait pas ces inconvénients. La ligature, ainsi que l'a fait remarquer M. Huguier, n'était pas du reste difficile à pratiquer. Toutefois on devait, à la partie supérieure de la jambe, disséquer la veine avec soin, et ouvrir sa gaîne, pour éviter de comprendre dans la ligature le nerf saphène interne ou de le couper ; et, pour la saphène externe à la partie supérieure de la jambe, il fallait éviter le nerf péronéo-cutané.

En dernier analyse, la ligature a produit des améliorations plus ou moins durables, souvent aucun changement dans les varices, et elle a causé la mort d'un certain nombre de malades. Elle n'est plus pratiquée maintenant que par des procédés modernes, et suivant la méthode sous-cutanée.

Dès 1833, M. Velpeau avait pratiqué sur l'homme son moyen nouveau de ligature des veines ; néanmoins un an après environ, en 1834, un essai analogue aux procédés anciens fut, dans un seul cas, employé avec succès par M. Guersent sur un malade déjà opéré par Béclard par la ligature, mais atteint de récidive. M. Guersent fit l'excision de trois pouces du tronc veineux ; le malade parut guéri. Je n'insisterai pas sur les inconvénients que l'excision présente. Le procédé de M. Guersent avait toutefois l'avantage de détruire quelques anastomoses.

Cautérisation ancienne. — Celse décrit aussi la cautérisation des varices avec le fer rouge ; c'était pour les cas les moins graves que l'on employait cette opération : *Si recta est, si, quamvis transversa, tamen simplex, si modica est, medius aduritur,* tel est son texte. On incisait la peau, et, après avoir écarté les bords de la plaie avec des crochets mousses, on cautérisait, sans

trop appuyer, avec un fer rougi à blanc. Cette opération
ne pouvait être conservée pour des varices peu volumineuses, auxquelles il vaut mieux ne pas toucher.

Avicenne, qui vantait l'incision longitudinale des varices et l'extraction des caillots, recommande aussi l'excision et la cautérisation. Il préférait celle-ci à l'instrument
tranchant : *Et melior est extractio cum cauterio, cau-
terium enim melius est quam incisio.* Mais le procédé
de la cautérisation est traité de cruel par Fabrice d'A-
quapendente. Dans certaines opérations complexes on
en faisait un des temps du procédé, on cautérisait le
bout supérieur après l'excision.

Compression immédiate. — M. Delpech, après avoir
mis le tronc veineux à nu dans l'étendue d'un pouce,
s'est contenté, pour en déterminer l'oblitération, de le
comprimer sur un morceau d'amadou ou d'éponge à
l'aide de bandelettes agglutinatives. L'inflammation qui
s'empare du vaisseau à l'extérieur et à l'intérieur en amène l'oblitération. Il était difficile de réunir en un seul procédé plus d'éléments d'inflammations redoutables dans
le tissu cellulaire du membre et dans le système veineux.

Je me contenterai de ce simple exposé sur des méthodes aujourd'hui surannées, ou qui doivent l'être. Ce n'est
pas sans une sorte de regret que j'ai ainsi énuméré des
procédés nuisibles, qui, si on excepte l'incision à la manière de J.-L. Petit, ou la simple saignée que les anciens
et lui faisaient aux varices, seront, je l'espère, rayés de
la pratique chirurgicale, et renvoyés dans l'histoire de
l'art.

Aujourd'hui il faut, ou s'abstenir de toucher aux veines des membres, ou bien il faut se borner aux procédés moins dangereux qui ont remplacé les méthodes vi-
cieuses citées plus haut.

La ligature du tronc veineux est conservée sans dou-

te, et fera toujours honneur comme principe à E.
Home, mais elle se fait de manière à offrir moins de
dangers.

Ligature moderne. — Nous retrouvons ici les divers
procédés de la méthode sous-cutanée. Tantôt, avec M.
Reynaud, de Toulon, et Lombard, c'est le fil passé sous la
veine et sous la peau, et noué sur le rouleau du diachylon,
comme nous l'avons dit pour le varicocèle ; tantôt c'est la
méthode de M. Gagnebé, exécutée diversement par MM.
Velpeau, Ricord, etc.; tantôt enfin c'est la ligature faite
sur l'épingle, et à l'aide d'un fil engagé sous la peau, ainsi
que le fait encore M. Velpeau ; ou bien ce sera le procédé
de M. Davat, et la première manière de M. Velpeau re-
prise par M. Franc.

Ces deux opérations s'éloignent peu de la méthode
sous-cutanée, bien qu'une très petite portion de peau,
comme dans la ligature de M. Reynaud, soit sacrifiée
par la pression. Enfin, on peut ajouter à ces procédés
sous-cutanés le séton de M. Fricke.

Compression médiate. — Un procédé de compression
analogue à celui que M. Breschet emploie pour le varicocèle a été imaginé par M. le professeur Samson pour
le traitement des varices des membres. Son but a été,
non pas d'enflammer la veine, mais d'y arrêter la circulation, d'y déterminer par une pression modérée l'arrêt du sang, la formation de caillots et l'oblitération de
la cavité du vaisseau. (Voy. *varicocèle.*)

L'instrument se compose essentiellement de deux plaques métalliques doublées de peau, entre lesquelles on
saisit le repli cutané qui contient la veine ; on peut même
ne pas saisir le vaisseau, mais le serrer assez exactement
dans le bord arrondi du pli cutané. La pression doit être
modérée ; à peine produit-elle quelques excoriations superficielles. Cependant on pourrait, avec le même instrument, exercer une pression beaucoup plus forte sans

mortifier autre chose que les couches superficielles de la peau saisie. M. Boinet a rapporté dans la *Gazette Médicale* plusieurs cas de succès obtenus par M. Samson. Il y a lieu de croire qu'ils ont été temporaires.

La plupart de ces procédés ont été très bien calculés pour irriter le moins possible le tissu cellulaire et éviter les accidents pour ainsi dire extérieurs à la veine. Mais le but principal, l'oblitération de la veine sans suppuration dans son intérieur, est-il aussi souvent atteint que dans l'usage de la cautérisation par le caustique, méthode déjà signalée par A. Paré, Guillemeau, Brodie, Key, et enfin renouvelée par M. Bonnet, et modifiée par moi dans ces dernières années ?

Cautérisation. — Exposons maintenant les procédés de cautérisation actuellement en usage pour les varices des membres inférieurs. A. Paré avait conseillé et employé le cautère potentiel pour la cure des varices. Guillemeau avait donné le même conseil ; mais leur idée était complétement oubliée. Brodie, en Angleterre, s'était servi de la potasse caustique pour traiter quelques varices ; mais il avait renoncé à ce moyen, à cause de la douleur et de la longueur du traitement. M. Key, de Londres, emploie la potasse caustique depuis dix ans pour les varices des jambes, et a complétement renoncé à l'usage des épingles : (*Bulletin chirurgical*, t. I, p. 282.) M. Gensoul fut conduit à cautériser les veines par hasard, en appliquant des cautères pour des ulcères variqueux ; la potasse détruisit la saphène interne et produisit la guérison des varices. Il donna à M. Bonnet le conseil de répéter ses expériences ; et, dans deux mémoires imprimés dans les archives (mai et juin 1839), ce chirurgien distingué donna les résultats de ses essais de cautérisation des veines par la potasse caustique. Dès le mois de juin 1839, j'avais répété ses expériences à l'hôpital Beaujon ; mais, comme j'avais été frappé des inconvénients de la potasse caustique d'après la lecture de ses mémoires, j'employai sur mon premier malade au mois de juin, et depuis chez tous les malades que j'ai traités, le caustique de Vienne. Le premier numéro du *Bulletin chirurgical* (août 1839) contient les motifs de ce choix du caustique, qui peuvent être saisis à la moindre réflexion. Mon procédé consistait à appliquer la pâte de Vienne en deux ou trois points de la longueur de la veine variqueuse, comme M. Bonnet et A. Paré appliquaient la potasse, c'est-à-dire sur la peau ; mais je ne tardai pas à modifier ce premier procédé pour tous les cas où la peau ne serait pas trop amincie, adhérente à la veine, et où le malade consentirait à une petite incision transversale au devant du vaisseau ; ce qui permettrait, disais-je, d'attaquer directement la paroi veineuse, de diminuer là perte de substance des téguments, et par suite la longueur du traitement. Je conservai néanmoins le premier procédé pour tous les cas où le deuxième ne pouvait pas être mis en usage (1).

---

(1) M. A. Bérard, qui avait répété, dit-il, la méthode de M. Bonnet, c'est-à-dire l'emploi de la potasse, aussitôt après la publication du chirurgien de Lyon, publia ou laissa publier, au mois d'avril 1840, dans *la Lancette des hôpitaux*, une note sur le traitement des varices, dont le titre était ainsi conçu : *Varices de la jambe, traitement par le caustique de Vienne. — Modification du procédé de M. Laugier.* Dans cette note, M. Bérard fait remarquer que la méthode de la cautérisation n'est pas nouvelle, que Celse parle de la cautérisation, que M. Bonnet en parle aussi, que M. Laugier emploie également la cautérisation ; mais que son procédé diffère de celui de M. Bonnet, en ce qu'il se sert de la pâte de Vienne au lieu de potasse. « Il fend la peau, dit-il, et applique ensuite le caustique. » M. Bérard annonce que lui applique seulement le caustique sur la peau. Il est évident que la modification annoncée par le titre de la note de M. Bérard est la seule différence indiquée : c'est la section de la peau et l'absence de cette incision. De l'aveu de M. Bérard, mon procédé différait de celui de M. Bonnet par le choix que j'avais fait

, M. A. Bérard adopta mon premier procédé et en fit de très nombreuses applications, qu'il étendit ensuite au traitement des tumeurs variqueuses, érectiles. Un succès constant paraît avoir couronné ses essais, et, pour ma part, j'ai traité plus de cinquante malades avec succès, et je n'en ai perdu qu'un d'abcès métastatiques; mais le malade s'était levé prématurément, et il avait été pris d'un érysipèle phlegmoneux de la cuisse. La veine crurale et la saphène au confluent de ces deux veines étaient remplies de sanie purulente. Quant à la récidive, j'en ai reconnu plusieurs fois chez les malades que j'avais traités, et cependant, dans presque tous les cas, la veine avait été évidemment détruite de part en part.

Divers chirurgiens anglais, et entre autres M. Charles Clay, de Manchester, ont répété l'application du caustique de Vienne sur les veines variqueuses. Ses résultats dans quatorze cas de varices des membres ont été pu-

---

de la pâte de Vienne; il différait de celui de M. Bérard par cela seul qu'il n'incisait pas la peau au devant de la veine. Mais ai-je besoin de faire remarquer que mon premier malade n'avait pas eu la peau incisée? N'est-il pas évident que la peau ne peut pas être incisée dans tous les cas? Je conviens, du reste, que j'ai adopté comme procédé général de faire au devant de la veine une petite incision. J'ai cru devoir entrer dans ces détails, parce qu'il est de notoriété que, dans plusieurs journaux (la *Gazette médicale*, les *Annales de chirurgie*), M. Bérard a publié plusieurs articles où il déclare aujourd'hui avoir fait la substitution du caustique de Vienne à la potasse dans le traitement des varices, et où il me relègue parmi les *inventeurs* des incisions faites au devant de la veine variqueuse avant la cautérisation; proposition qui, comme il le dit très bien, se trouve dans Celse. Il fallait bien, chacun le sentira, faire concevoir comment la proposition du caustique de Vienne pour la cure des varices pourrait se trouver à la fois dans la liste des titres antérieurs de deux candidats, et je ne pouvais déserter ma propre cause, quand le hasard m'avait donné à traiter une thèse sur *les varices et leur traitement*.

biés dans le journal anglais *The Lancet*, 1840-1841. Il n'a, dit-il, observé aucune récidive, comme il le confirme dans une lettre qu'il m'écrivait, par un hasard singulier, quelques jours avant le tirage des thèses de ce concours. M. Clay préfère, dit-il, beaucoup l'incision de la peau au devant de la veine. Il a soin de protéger les parties molles voisines de la veine mise à nu par un carré de quelques pouces de charpie anglaise, incisée sur le milieu, dans une étendue d'un demi-pouce, pour laisser passer le caustique de Vienne, qu'il fait très épais. Il en forme un cône dont le sommet est introduit dans la fente du carré de charpie, de manière à toucher la veine ; il replie d'ailleurs les cotés de sa petite plaque de charpie sur la base du cône de caustique, qui se trouve ainsi maintenu en place. Si la petite incision faite à la peau donne du sang, ce qui n'a pas toujours lieu de manière à gêner l'application de la pâte de Vienne, il attend quelques minutes. J'avais cru devoir cautériser alors les lèvres de cette petite plaie avec le nitrate d'argent ; mais c'est la partie la plus douloureuse de l'opération, et j'accepte la modification de M. Clay et ses perfectionnements. Après la cautérisation, il faut que le malade reste en repos. M. Bonnet avait signalé des hémorragies après l'emploi de la potasse. J'en ai observé aussi ; mais, comme il le dit, elles s'arrêtent promptement par la compression. Je dois faire remarquer que cette compression sur une veine cautérisée et non oblitérée peut avoir de graves inconvénients.

Celui que Brodie a signalé de la longueur du traitement après la cautérisation par la potasse appartient aussi à la pâte de Vienne. Cependant M. Bérard fait marcher très promptement presque tous ses malades. M. Clay, de Manchester, applique dès le principe des cataplasmes pour hâter la chute de l'escarre.

Les phénomènes inflammatoires se bornent en général

à ceux de l'élimination de l'escarre, comme dans le cautère ordinaire, par la pâte de Vienne. La veine au dessus et au dessous du lieu cautérisé s'affaisse, et donne au toucher la sensation d'un cordon fibreux. Un caillot s'y forme immédiatement, et obstrue la veine à un ou deux pouces de distance; de cette manière, l'inflammation qui sépare l'escarre a pour siége les parties molles voisines du vaisseau et les deux bouts cautérisés, mais à une époque où l'obstruction par un caillot très ferme, sinon l'oblitération, par transformation fibreuse, a déjà lieu, assez loin des portions de la veine ou du sang fluide arrive par les collatérales. C'est ainsi que je crois possible d'expliquer comment d'aussi nombreux essais ont pu être faits avec un aussi petit nombre d'insuccès.

Quant à la récidive dans le lieu même de la cautérisation, il faut bien, ce me semble, admettre l'existence de quelque collatérale voisine, et qui, devenue variqueuse, aura soulevé la peau cautérisée; car on est, en général, bien sûr, par cette méthode bien appliquée, de détruire le vaisseau. J'ai observé une fois une nécrose superficielle du tibia; la veine passant au devant de la face interne de l'os avait été détruite de part en part.

Le nombre des observations de succès après cette méthode ne doit-elle pas faire admettre qu'elle offre une grande sûreté? Faite avec le caustique de Vienne, elle permet d'ailleurs de multiplier les applications sur la longueur du même vaisseau, et d'attaquer à la fois les deux saphènes; ce que M. Bonnet n'osait pas faire à cause des grandes pertes de substance qu'entraînait la potasse caustique, motif qui l'avait fait abandonner à M. Brodie.

Les conclusions de ce travail sont les suivantes.

La méthode la plus sûre de traiter les varices des membres inférieurs est la compression des membres, aidée du repos horizontal, des saignées, du régime (Dupuytren).

Elle n'est que palliative; mais le malade a d'ailleurs la possibilité de voir guérir ses varices, en tout ou en partie, par la phlébite spontanée.

Les méthodes opératoires qui peuvent produire l'oblitération du vaisseau sont la ligature sous-cutanée, la compression médiate locale, le séton, la cautérisation.

Le séton de Fricke est parfait comme méthode sous-cutanée; mais en laissant dans la veine un corps étranger, sans produire sûrement l'oblitération immédiate de ce vaisseau, il irrite les parois veineuses; il est suivi de la formation du pus, de la sérosité purulente, et des fausses membranes, en laissant ouverte la voie de communication avec le système veineux général un temps suffisant pour l'infection purulente.

La ligature réussit à oblitérer la veine, quand elle est exercée avec un degré de force convenable, mais difficile à déterminer. L'opération est simple, élégante et facile; mais elle est plus incertaine dans son effet immédiat, l'oblitération du vaisseau, et peut déterminer l'inflammation suppurative avant la formation de caillots protecteurs, qui produisent *l'isolement* du point comprimé.

La compression médiate de M. Samson est peu dangereuse; mais elle n'oblitère la veine que par la formation de caillots promptement résorbés. La *compression* suivant le procédé de M. Breschet est aux membres inférieurs difficilement applicable. Mais, si nous considérons son mode d'action sur le varicocèle, nous pouvons conclure que ce procédé et celui de la *cautérisation* potentielle sont les seuls qui remplissent sûrement, chacun à leur manière, et dans un court espace de temps, les deux conditions indispensables du traitement des varices, savoir : 1° la destruction de la cavité du vaisseau sans réaction locale vive; 2° l'isolement de la portion attaquée de la veine par la formation de caillots. Mais la cautérisation serait peut-être aussi difficilement applicable au va-

ricocèle que le procédé de compression médiate, imaginé
par M. Breschet, aux varices des membres. Peut-être
même le cautère établi sur le cordon produirait-il presque certainement des abcès dans les enveloppes du cordon et du testicule.

. La ligature immédiate et sous-cutanée a cet avantage
sur les deux autres méthodes d'être également applicable à presque toutes les varices ; elle leur serait préférable si elle arrivait jamais à oblitérer la veine sans suppuration, et à isoler promptement le point comprimé.

Enfin, aux membres inférieurs, la récidive est si fréquente, et les anastomoses si nombreuses, qu'on ne doit
se déterminer à opérer que dans des cas d'accidents graves (hémorragies, impotence), ou d'absolue nécessité
établie par l'insuffisance du traitement palliatif.

Des varices de la vulve, du vagin, et du col de l'utérus.

Les femmes enceintes ne sont pas seulement sujettes aux
varices des membres inférieurs et du rectum ; on en voit
aussi chez elles à la région hypogastrique, entre la peau
et les muscles; mais surtout au vagin, aux grandes lèvres,
et même au col utérin. Du cinquième mois au terme de
la grossesse, elles s'accroissent, et exposent les malades
à des douleurs vives et à des hémorragies. Quelquefois
cependant les ruptures se font dans l'épaisseur des grandes lèvres, et il n'en résulte que de grandes ecchymoses.
C'est surtout pendant l'accouchement, au moment où la
tête de l'enfant presse les parties extérieures de la généra-
tion, que se forment les trombus vagino-vulvaires ; les
hémorragies abondantes ; cependant des exemples cités
par Dugès prouvent que la tête, en s'avançant, arrête
quelquefois pendant son passage l'écoulement sanguin,
qui recommence immédiatement après.

Pendant l'accouchement, on distinguerait l'hémorragie

fournie par les varices d'une hémorragie utérine à cette circonstance que, les flots d'eau de l'amnios, dans le premier cas, chassés à chaque contraction, ne se mêlent au sang que hors des organes génitaux. Il suffit d'ailleurs en général, pour les varices extérieures du moins, d'écarter les grandes lèvres pour apercevoir l'ouverture de la veine qui donne du sang.

Mais l'hémorragie ne se déclare quelquefois que plusieurs heures, et même plusieurs jours après l'accouchement : dans ce dernier cas, c'est une escarre qui se détache et comprend les parois d'une veine variqueuse, comme on le voit pour celles de l'urètre ou de la vessie. Pendant l'accouchement, si la varice rompue est extérieure, la simple compression exercée par le doigt suffira pour l'arrêter ou la modérer ; après le travail, on appliquera un morceau d'agaric soutenu d'un tampon de charpie.

Suivant Siebold, les varices du vagin et de la vulve peuvent être une cause de distocie. Leur rupture dans l'épaisseur des grandes lèvres s'oppose à la sortie de la tête du fœtus. Il se forme alors une tumeur dure qui occupe toute la longueur de la lèvre, la distend fortement, se prolonge jusqu'au vagin, et acquiert bientôt la grosseur du poing. Son volume empêche la tête de sortir ou en rend l'extraction difficile et dangereuse. Si, dans ce moment, une crevasse a lieu sur la peau distendue de la lèvre, l'hémorragie peut mettre la vie de l'enfant et de la mère en danger. C'est une indication de l'application du forceps, si l'accouchement marche lentement.

Mais, lorsque la tumeur ne se rompt pas et n'oppose pas un obstacle durable à l'accouchement, le trombus qui existait peut encore s'accroître après la délivrance, s'étendre vers le vagin, et retenir dans le vagin et l'utérus le sang des lochies (Dugès) ; ce n'était pas l'avis de Baudelocque, ainsi qu'on en peut juger par une note faite à un mémoire de Siebold sur ce sujet. Dugès croit même

que la compression exercée par un trombus de la grande
lèvre et du vagin peut donner lieu, après l'accouchement,
à une hémorragie interne de l'utérus.

Dans d'autres cas, les couches terminées, il reste dans
la lèvre une tumeur sanguine par ecchymose, que Siébold donne le conseil d'ouvrir le plus tôt possible, et qui
peut, comme dans les autres régions du corps, se trans-
former en abcès sanguin ou former un kyste qui, ouvert
plus tard, contient du sang brunâtre, couleur chocolat,
ou mêlé à une sérosité roussâtre. M. le docteur Carrier
m'a rapporté l'observation d'une jeune femme qu'il a
opérée d'un kyste semblable; il savait que l'origine de la
tumeur était un trombus formé à l'époque de l'accouchement.

Il ne faut pas confondre, malgré leur analogie, le
trombus des grandes lèvres dû aux varices de cette
partie avec celui qui chez toutes les femmes, et en raison de l'organisation très vasculaire de cette région, peut
suivre les contusions, etc., etc. Celui-ci en effet peut
tenir à des ruptures d'artères et de veines. Celui qui nous
occupe n'est dû qu'à la rupture des varices.

En résumé, c'est au moment de la grossesse, pendant
les derniers mois, pendant le travail même, que les varices de la vulve, du vagin et du col utérin, ont le plus
d'importance.

Siébold donne le conseil, pendant la grossesse, de
prévenir leurs accidents par la saignée et un régime modéré. Dans le travail, il faut donner à la femme une position horizontale. On peut aussi, suivant Siébold et Gar-
dien, comprimer avec les doigts le col utérin variqueux,
et les varices des grandes lèvres. Si une tumeur se forme,
qui s'oppose à l'accouchement, il faut l'ouvrir, et le travail reprend son cours; sinon on se hâterait de terminer
l'accouchement par le forceps. Après l'accouchement, il
peut arriver que l'hémorragie s'arrête d'elle-même; que
si, au contraire, elle ne survient qu'un certain nombre

d'heures après le travail, on arrêtera le sang par la compression avec l'amadou, soutenu d'un tampon de charpie (Dugès); quelquefois même avec le doigt, si l'on aperçoit la déchirure et qu'elle soit petite. Siébold plaçait de la charpie sèche dans l'ouverture.

Le trombus volumineux doit être ouvert immédiatement, sinon on a affaire à un abcès sanguin. Quand le trombus est moins considérable, il pourra en résulter un kyste sanguin avec les diverses altérations du sang indiquées par M. Velpeau.

Les varices de la vulve, du vagin et du col utérin, peuvent avoir lieu hors de l'état de grossesse. Elles ont aux grandes lèvres, comme dans d'autres régions, l'aspect de tumeurs violacées, molles, bosselées, pâteuses. On pourrait, faute d'attention suffisante, les confondre avec la hernie inguinale, ou mieux encore, quand elles sont plus haut dans le vagin, avec une hernie vaginale. La réduction dans la position horizontale, des caractères analogues à ceux du varicocèle, et ceux qui appartiennent aux hernies, serviraient à distinguer ces tumeurs les unes des autres.

Les varices du col utérin, qu'il ne faut pas confondre avec les petits polypes muqueux, n'ont peut-être pas été assez observées hors de l'état de grossesse pour qu'on puisse leur donner d'autres signes que ceux qui résultent de leur aspect au fond du speculum.

Varices de la vessie et de la prostate.

L'exposé des hémorroïdes nous a déjà fait reconnaître qu'il y a des varices dont l'importance est accrue par la gêne qu'elles opposent aux fonctions d'un conduit ou d'un réservoir voisin. Les *varices de la vessie* sont dans ce cas. Nous ne prendrons pas pour varices de cet organe, avec Cœlius Aurelianus, l'hématurie qui peut être succédanée des hémorroïdes; mais les recherches ana-tomiques de Bonnet, de Morgagni et de Chopart, nous autorisent à admettre un développement variqueux des veines de la vessie. Bonnet rapporte qu'après la mort d'un homme qui avait eu pendant long-temps les symptômes ordinaires aux calculeux, on trouva seulement les veines du col de la vessie variqueuses et très distendues par le sang. Morgagni a ouvert le corps d'un homme de 60 ans, dont la vessie était fort épaisse. Des vaisseaux sanguins répandus sur la surface interne de ce viscère se portaient vers l'orifice de son col; ils étaient tellement distendus par le sang, qu'ils semblaient autant d'hémorroïdes qui recouvraient cet orifice. Chopart a assisté à l'ouverture d'un calculeux sujet à l'hématurie et aux hémorroïdes anales. Sa vessie présentait des vaisseaux variqueux, qui se portaient en serpentant au col de la vessie et s'y prolongeaient. (*Varices de l'urètre*) Le plexus veineux de la *prostate* était très dilaté. J'ai rencontré aussi chez des individus morts de maladies de voies urinaires un développement considérable des veines vésicales et prostatiques. Le diagnostic en est fort difficile; le pissement de sang, quelque abondant qu'il soit, de couleur de sang veineux, est un signe de diverses maladies fort différentes. Il en est de même des difficultés dans l'expulsion des urines. La circonstance d'hémorroïdes rectales ou des jambes chez le même individu, pléthorieque, etc., tc., ne peut donner qu'un signe rationnel. Les alternatives rapides d'urines limpides et sanguinolentes, qu'une sonde ait été introduite ou non, se rapportent aussi bien à une hématurie rénale, urétrale, ou à une tumeur encéphaloïde de la vessie, qu'à des ruptures de varices. Toutefois le pissement de sang est un de leurs signes; il faut y joindre la dysurie et l'ischurie.

Pendant et après la taille, elles peuvent donner lieu à une hémorragie abondante, qui quelquefois s'accumule dans la vessie, malgré le tamponnement. Elle céderait peut être plus facilement aux irrigations froides continues recommandées par M. Begin. Leur traitement se confond avec celui des accidents qu'elles causent. J'aurais plus de confiance dans le traitement palliatif général des varices que dans l'efficacité des sondes, malgré les observations de Desault, rapportées par Chopart.

Varices de l'urètre. — Dans divers écrits sur les rétrécissements, on a signalé aussi des varices de l'urètre. Comme lésion anatomique, elles sont possibles et même prouvées par une des observations précédentes (Chopart). On leur a attribué quelques signes physiques particuliers; elles seraient caractérisées par des dépressions superficielles, inégales, lisses, mamelonnées, moulées sur une bougie en cire. Dans un cas semblable, la cautérisation produisit une grave hémorragie. Je ne nie pas les varices de l'urètre; mais je doute, jusqu'à nouvel examen, de la possibilité de les reconnaître aux impressions digitales faites sur une bougie en cire. C'est une observation qui n'a pas du reste été répétée. Leur traitement est, comme pour les varices de la vessie, celui de leurs accidents; les injections froides leur seraient peut-être particulièrement applicables, ainsi que l'introduction de bougies très douces, très simples et volumineuses. Une bougie conique, même en gomme élastique, pourrait les déchirer; ce qui serait d'un avantage problématique.

Les varices de la tête, du cuir chevelu (Alibert), des tempes, des veines ranines, de la faciale, ne peuvent donner lieu à des indications thérapeutiques que lorsqu'elles constituent une véritable difformité ou une gêne des mouvements de la partie. M. Amussat enleva avec succès une tumeur formée sur la terminaison de la faciale, à un demi-pouce du grand angle de l'œil (Huguier). Diverses opérations déjà signalées pourraient être choisies suivant les circonstances.

Varices de l'œil. — On donne, entre autres dénominations, le nom de *cirsophthalmie*, de *varicositas oculi* à une affection de l'œil très complexe, dans laquelle il existe le plus souvent un staphylôme de la sclérotique et de là choroïde, des kystes entre ces membranes et entre la choroïde et la rétine. Les vaisseaux de l'œil, profonds et superficiels, sont alors dans un état de distension notable. Les artères ne sont pas moins développées que les veines dans ces cas, et il serait difficile d'extraire une affection variqueuse des veines de la choroïde (*vasa vorticosa*) pour la faire entrer dans ma thèse. M. le professeur Marjolin indique aussi comme une des lésions anatomiques de la rétine dans l'amaurose l'état variqueux des mêmes vaisseaux. Le staphylôme de la sclérotique, le glaucôme, l'amaurose, existent en général dans ces cas incurables. Je ne pourrais rien dire sur leur traitement qui eût trait à celui des varices. On voit assez souvent chez les vieillards des varices de la conjonctive.

Quant à celles de l'organe de l'ouïe, il m'a été impossible d'en trouver une description quelconque, quoique, par erreur typographique sans doute, elles soient indiquées dans un article de dictionnaire.

Varices des nerfs. — Elles n'ont été signalées, que je sache, que pour le nerf fémoro-poplité. Bichat a vu sur le nerf sciatique d'un sujet affecté depuis long-temps d'une névralgie une foule de petites dilatations variqueuses des veines qui pénétraient la partie supérieure du nerf, et quelques pathologistes ont considéré, d'après ce fait ou d'autres analogues, la névralgie sciatique comme un effet des varices du nerf. Il me paraît plus raisonnable de regarder celles-ci comme l'effet d'une inflammation chronique du nerf ou de son névrilemme. Cet état variqueux des nerfs, fût-il connu avant la mort, ne peut donner aucune indication particulière.

Tumeurs érectiles veineuses.

Parmi les tumeurs érectiles, on distingue deux espèces qui paraissent dues uniquement au développement variqueux des veines. Tantôt ce sont des capillaires veineux qui ont pris un développement exagéré et constituant, par leur agglomération, une véritable tumeur veineuse ; tantôt c'est un gros tronc veineux, considérablement dilaté, qui, présentant un grand nombre d'ouvertures latérales, pénètre ainsi dans une sorte de tumeur spongieuse, uniquement remplie de sang noir et évidemment variqueuse. M. le professeur Roux en a vu un exemple sur la jugulaire externe. C'est là une des espèces de varices indiquées par le professeur Andral. L'histoire de ces tumeurs et leur traitement font-ils partie du sujet qui m'a été donné ? Comme développement anatomique, elles rentrent évidemment dans l'histoire générale des varices ; mais, en même temps, ce sont autant des tissus accidentels que des dilatations morbides de veines normales. Sans doute la dilatation d'une foule de capillaires innominés, ceux de la peau du visage, etc., a été signalée dans ma thèse ; et, à titre de capillaires développés, pourquoi les tumeurs érectiles veineuses dues au développement des petites veines n'y trouveraient-elles pas entrée ? les tumeurs veineuses aréolaires surajoutées à un gros tronc veineux n'y sont-elles pas aussi indiquées comme une des formes anatomiques des varices (Andral) ? Mais, d'autre part, leur traitement est jusqu'ici confondu avec celui des tumeurs érectiles artérielles et artérioso-veineuses, et je ne pourrais, sans m'éloigner évidemment de mon sujet, indiquer d'une manière générale les méthodes usitées pour les tumeurs érectiles. Cet incident de ma thèse, si je puis m'exprimer ainsi, servira peut-être à prouver que c'est à tort qu'une même histoire comprend toutes les tumeurs érectiles. Il vaudrait mieux, en effet, toutes les fois que cela est possible, les isoler suivant leur nature, et traiter à part des tumeurs sanguines veineuses, auxquelles on pourrait, dans la plupart des cas, refuser le nom d'érectiles. Quel rapport y a-t-il, par exemple, entre la ligature des troncs artériels et une tumeur purement veineuse ?

. Les réflexions qui suivent s'appliqueront à celle-ci en particulier. Les tumeurs sanguines veineuses partagent, avec les varices, l'aspect violacé, la mollesse, en partie la réductibilité, l'absence des battements artériels ;et du frémissement ou bruissement des tumeurs érectiles, artérielles, ou artérioso-veineuses. Elles existent sur le trajet d'une grosse veine, ou, au contraire, dans des régions où il ne se trouve que des capillaires. Les premières sont toutes choses égales d'ailleurs, plus réductibles que les secondes ; elles se vident mieux par la grosse veine qui leur fournit du sang. Il est rare qu'on puisse les en distinguer dans le traitement, et c'est en oblitérant le tronc veineux que l'on guérira la tumeur variqueuse. La tumeur due au développement des capillaires offrira dans ces vaisseaux des degrés variables de dilatation ; elles sont plus en dehors du système veineux général que tout autre espèce de varices, et, sous ce rapport, seulement se rapprochent des kistes variqueux, qui ont cessé de communiquer avec les veines qui leur ont donné naissance.

Il est donc, en général, moins dangereux de les attaquer par des opérations, et celles-ci sont d'ailleurs le véritable moyen de les guérir. Comme on ne craint pas alors l'inflammation des veines qui les forment, on peut employer utilement et impunément des procédés opératoires qui produisent leur oblitération par inflammation. On peut y injecter des caustiques liquides, mais il vaut mieux les traverser par des sétons multipliés, des aiguilles, les cautériser avec la potasse, qui les détruira plus vite que le caustique de Vienne (ce choix dépend au reste de leur siége, de leur forme et de leur volume). On les incise largement, et, après les avoir vidées du sang contenu, on les bourre de charpie pour les faire suppurer. On peut se servir de fils multiples qui les traversent pour en faire des ligatures partielles, ou mieux les extirper, à moins qu'elles ne causent aucune difformité, et n'aient aucune tendance à s'accroître. On peut alors n'y pas toucher. Ces tumeurs veineuses sont d'ailleurs le plus souvent congéniales, quelquefois accidentelles. Quand elles datent de la naissance, elles répondent souvent à des taches bleuâtres de la peau, et prennent du développement dans le tissu cellulaire sous-cutané; quelquefois, au contraire, c'est le tissu cellulaire sous-cutané ou profond qui en est le siége primitif. J'ai vu dernièrement à la Charité un jeune enfant affecté d'une tumeur semblable, située au dessous de la clavicule gauche.

On ne peut attendre, dans cette circonstance, que je traite de ces tumeurs vasculaires anormales qui transforment le tissu des organes, les changent en un tissu caverneux, qui, dans quelques circonstances, il est vrai, est plutôt rempli de sang artériel. Cette transformation variqueuse de tous les tissus qui composent un membre, et qui rend spongieux les os dans leur diaphyse, est évidemment autre chose qu'une varice, et doit tout au plus être traité par l'amputation, car on trouve souvent plusieurs développements vasculaires semblables chez le même individu. Ce serait, je le crois, sortir des limites de ma thèse que d'en dire davantage sur ce sujet.

Imprimerie de Guiraudet et Jouaust, 315, rue Saint-Honoré.